あなたの運はもっとよくなる！

浅見帆帆子
Hohoko Asami

三笠書房

どうして運がよくならないんだろう？

A.

ズバリ、実践していないからです。
日常生活こそ、本番です。

まえがき

日常生活こそ、運をよくする本番です。

どんなに本を読んで頭でわかっても、やはり実践しなければ変わらない……そう思い、本書では「私が日常生活で実際にしている運がよくなるコツ」を書きました。

ひとつひとつためして、効果のあったものだけを書いています。

この中のどれかひとつ、自分に合っているいくつかをためしてみるだけで、まわりに起こる物事が変わっていくのを感じるはずです。

誰でも幸せになりたいと思う気持ちは同じです。

あなたが自分の生活に満足して、心からしみじみと感謝したくなるほど満たされた状態になると、他人の幸せも心から喜べるようになります。人間は、毎日が不満でいっぱいのときに、他人の幸せを喜ぶ余裕は生まれにくいからです。

ですから、**「まずは自分が幸せになっていい」**と決めてください。


あなた自身が幸せになって、日々ウキウキした気持ちで暮らすようになれば、それを見たまわりの人に明るい影響を与えるでしょう。

あなたから始まるその輪が、家族、友人、知人、地域、国と広がれば、世界平和につながると思います。ひとりひとりが自分の生活に幸せを感じて暮らすようになれば、他人と自分を比べて争うようなこともなくなるからです。

自分の生活さえ幸せにできない人が、人の生活を変えようとすることはできません。

あなたが幸せになることが世界の平和につながる、と私は本気で思っています。

浅見帆帆子

もくじ

第1章

まずは、考え方を変えよう

これさえすれば運はよくなる〈考え方編〉

第2章

日常生活で習慣にしよう
これさえすれば運はよくなる〈行動編〉

第3章

イライラすると運は下がる！
日常生活でイライラしないコツ
人間関係がスムーズになるコツ

第4章

今の運気をガラッと変えたいときのコツ

嫌なことが続くときはこう考えよう

第5章
あなたの夢は必ずかなう
夢を実現させたいときのコツ

イラストレーション　浅見帆帆子

第1章

まずは、考え方を変えよう

これさえすれば運はよくなる

考え方編

さて　どうしようか
笑おうか　怒ろうか
どこに行って
なにをしようか

思考が
行動を決めている

1 まず、「自分は運がいい!!」と自覚する

★小さなことに「運がいいなあ」と感動すると変わり始める

運のいい人は、「自分は運がいい」と思っています。

実際に話を聞いてみると、「それはたしかに運がいいなあ」と思うようなことが日々繰り返されているように感じます。

でもこれは、本人が一番はじめに「自分は本当に運がいい」と思い込んでいることから始まったのです。「鶏とたまご」のようなもので、どちらが先かはわからない、でも**はじめに「運がいい」と思っていると、あとから運のいいことが本当に起こりだします。**

ためしに、目の前に起こっている小さなことを「運がいいなあ」としみじみ感じてみてください。「いいこと」がどんどん引き寄せられてきます。

たとえば、運転をしていて車が停められるところを探しているとき、コインパーキングがいっぱいでも私はいつも「きっとどこかがあくだろう」と思いながら探しています。「あくといいなあ」というよりは、「絶対にあく」と決めています。するとたいてい、ちょうど車が出ていくところに出くわして、目の前に停めることができるようになります。

今ではこれが頻繁に起こるようになりましたが、この始まりは、ちょうどいいところがあいたときに、「よかった、運がいい、うまくできている、ありがたいなあ」としみじみと感じることから始まりました。

1回目のときに幸せを味わっていると、次のときも「またどこかがあくだろう」と前よりも自信を持って思う、その意識が、あいている状態を引き寄せてくるのです。これを繰り返すうちに、「パーキングには困らないから大丈夫！」と心配はいっさいしないようになりました。

なんでもうまくいく人は、小さなラッキーをとても大切に味わっています。

もちろんわざわざ口に出さないで、ひとりで感じていれば充分です。

運がよくなると小さなラッキーは毎日のように起こるので、それにいちいち感動しているわけではありません。でもその一番はじめは、目の前のちょっとしたラッキーなことを「自分って運がいいなあ」と味わうこと、心から感じることから始まっているのです。

気にならない
自分が満足していると
他人と自分を比べなくなる

★この「一言」が強運な人、子を育てる

よく「運がよくなった秘訣はなんですか？」と聞かれることがあります。

特別なことはなかったと思いますが、ひとつ覚えているのは、**両親に「あなたは本当に運がいいわね」といつも言われて大きくなった**ことです。


たとえば子供の頃、クジなどでなにかに当たると、「あなたって必ずなにか当たるのよね。面白いわね、運がいいのね〜」と大げさに感心されました。

せっかくのお休みの日に風邪をひいて寝込んでいても、「お休みの日に風邪をひくなんて運がいいわね」と言われ、転んで怪我をしたときも「これくらいで済んで、ほんとに運がよかったわね」と言われました。とにかく、私がガッカリしているようなときでも、「あら、よかったじゃない」というスタンスだったのです。

するとどんなときでも「私は運がいいからなんとかなるだろう」と自然に思うようになりました。

「運がいい」ということを、まるで性格や特技のように捉えていたのです。

この思い込みがあるので、クジ（たとえばですが）を引くときには「なにか当たるだろう」と思い込んで引く→するとその意識で本当に当たる→ますます私は運がいいと思い込む→だからますます引き寄せる、というサイクルになっていったのだと思います。

面白いことに、大きくなるにつれてこの特技はなくなっていきました。多分、「これで当たらなかったらまずいなあ」ということをだんだんと考えるようになったからだと思います。

毎日言われ続けていると、実際の実力に関係なくそう思うようになります。

特に子供の場合は、その刷り込みはほとんど両親からつくられます。毎日毎日親の言葉を聞いているわけですから、影響を受けないはずがありませんよね。

子供のときの真っ白な状態ほど、運をよくさせていくチャンスなのです。

2 運がよくなる言葉を使う

★否定的な言葉は絶対に使わない

自分がいつも使っている言葉が、自分の未来をつくっています。

日本には「言霊《ことだま》」という考え方があり、「言葉には力が宿っている」とされています。唱えているだけでご利益があるとされている言葉はたくさんあり、神社などで唱える「祝詞《のりと》」は、良い言霊の言葉をつなげた代表例ですよね。

意味はわからなくても唱えているだけで縁起のいい言葉があるとすれば、意味をわかって、気持ちをこめて口に出している言葉からなにも影響を受けないはずがありません。まわりの人にいつも言われる言葉、自分が発している言葉は、知らないうちに影響を受けているのです。

前項で、「子供に〝運がいいね〟と言えばそうなる」ということを書きましたが、大人でもまったく同じです。

「あなたには難しいと思う、できないと思う、やめたほうがいいよ」と毎日言われ続けていれば、どんなに自分が前向きな気持ちでいても、「そうだよね、やっぱり難しいよね、やめようかな」という気持ちにだんだんとなっていきます。

まったく同じ状況でも、**「あなたならできるよ、絶対に大丈夫よ」と言われ続ければ、「そうかな、そうかもしれない、多分できる……きっとできる」という気持ちになっていく**と思います。それが続いていけば、実際に前向きな行動に移すことにつながるでしょう。

この場合、実際の行動に移すようになったのは実力が上がったからではありません。「その気」になったからです。子供に「運がいいね」と言うとそうなるのは、言われ続けているうちに子供が「その気」になるからです。そして「自分は運がいいんだ」という意識にカチッと切り替わると、実際どのくらい運がいいかに関係なく、その言霊が運のいいことを引き寄せてくれるのです。

もちろん、自分に対して言っている言葉にも注意する必要があります。

- 私にはできない
- 本当はしたいけど無理だと思う
- ここまではできるけど、そこから先はありえない
- きっとうまくいかない
- ○○が足りないからできない

というような言葉を頻繁に使っていると、聞いているうちに、自分が「その気」になってしまうのです！

それを聞いているまわりも、あなたを「そういう目」で眺めるようになるでしょう。本人が「無理」と思っているのですから無理に決まっていますよね。そして、「この人はできない」という意識が集まってきます。他人がサラッと言った言葉ならともかく、わざわざ自分の言葉で自分の可能性を限定するのは本当にもったいないことだと思うのです。

「言った言葉がそのまま現実になる」と思い、あえて余計な一言を言わないように注意してみてください。

本人がそう言っていれば、
先の門も閉ざされる

★今日から悪口は言わない！　と決める

人の悪口を言うと運が悪くなる、とされているのはなぜでしょうか？

それは、**他人のことを悪く言っているとき、その嫌な言葉を一番たくさん聞いているのは自分**だからです。他の人のことを言っているようで、実は自分自身にマイナスのエネルギーを浴びせ続けていることになるのです。

あの人は嫌な人だ、嫌われている、嫌な目に遭えばいい……みんな、自分に言っている言葉です。

あなたの意識は「この言葉は自分のことではなく、別の人のことを言っている」とは思ってくれません。シンプルに、あなたが使っている言葉のとおりに未来を引き寄せてしまいます。

ですから、**他人の悪口を言えば言うほど自分の運は下がります。**

人の批判をいつまでもしているとき、それは「自分はみんなに嫌われている最悪の人だ」というエネルギーを振りまいていることになるのです。

「人の批判や悪口はできるだけ言わないようにしよう」と思っている程度では変わりません。あえて、「今日を境に、いっさい言わないことにする！」と決めてみてください。

ちょっとずつ減らすのではなく、一気に「0（ゼロ）」にするのです。

★最後はプラスの言葉で終わらせる

もし、思わずマイナスの言葉を言ってしまったときは、プラスの言葉で終わらせるようにしてみてください。人間ですから、思わずマイナスの言葉が出てしまうことはあります。「私ってどうしてダメなんだろう……あ、でもこれから気をつければいいいんだわ」「あれがうまくいかなかったらどうしよう……と思ったけど、今のは気になるあまりに思わず心配してしまっただけで、今のはナシ!!」などと、自分の中で良い印象で終わるようにするのです。

マイナスの言葉を吐きっぱなしで終わると、しばらくはその言葉に縛られることになります。たとえば、人の悪口をさんざん言ったあとは（たとえまわりの人につき合っただけでも）、後味が悪くなりませんか？　相手のためを思って怒るようなときでも、頭から感情的に怒鳴りつけただけで終わったら、そのマイナスの感情がしばらく残りませんか？　言葉は、知らない間にエネルギーを持って、言われた人よりも言った人を縛るのです。思わず言ってしまったときは、自分の気が晴れるように「良いイメージの言葉」で終わりにさせてください。

マイナスのことを言い続けると暗くなり、
プラスのことは明るくなる
実験すると、よくわかる

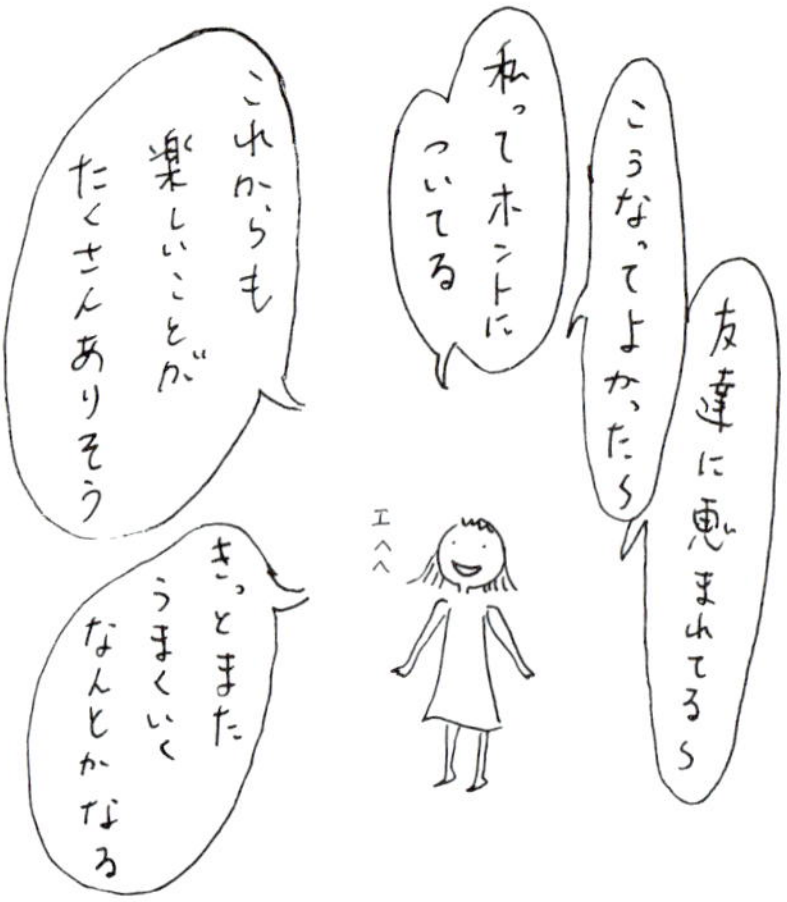
友達に恵まれてる〜
こうなってよかった〜
私ってホントについてる
これからも楽しいことがありそう
エヘヘ
きっとまたうまくいくなんとかなる

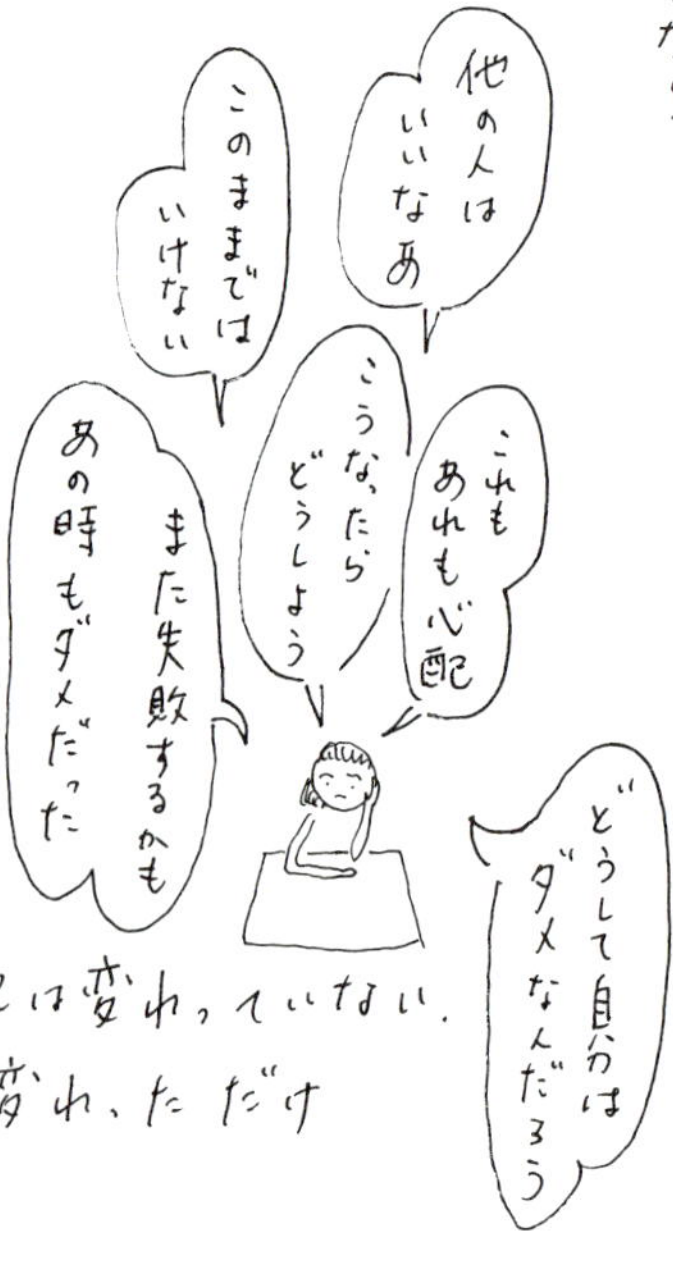
他の人はいいなあ
このままではいけない
これもあれも心配
こうなったらどうしよう
また失敗するかも
あの時もダメだった
どうして自分はダメなんだろう

自分の状況は変わっていない。
言葉が変わっただけ

★植物やモノにも話しかける

植物に「大きくなってね」と話しかけながら育てると、なにも声をかけないときよりも早く花が咲いたり、大きくなったりする、という話を聞いたことはありませんか？　植物も生きていることを思えば、言葉の影響を受けるのも当然のことに思えます。

また、「ありがとう」という言葉をかけ続けた「水」の結晶を写真に撮ると、線対称の美しい結晶ができているのに、「馬鹿やろう」という言葉をかけ続けた「水」は、結晶どころかグチャグチャの形しかつくらない、という研究もあります（参考文献『水は答えを知っている』江本勝）。

私の尊敬する知人のひとりに、素晴らしい別荘を持っている人がいます。敷地の大きいものや内装の素晴らしいもの、手間隙《てまひま》をかけている豪華な別荘は数多くあると思いますが、この人の場合は**「この家を購入した頃からますます運がよくなり、この家が人との縁をつなげてくれている」**と感じるそうです。

実際、この別荘はいつも人の笑い声があふれていて、お邪魔するととても楽しい気分になります。おもてなしの素晴らしさやそこにいる人たちの会話の楽しさからくるものだけではなく、たしかに、その家自体が発している温かく楽しいパワーがあるのです。

その家の持ち主は、いつも「君は本当にいい家だねえ」と話しかけているそうです。その言葉をその家は毎日聞いているのですから、持ち主や家族、訪問客にも影響を与えているに違いありません。

以前、出先で車のエンジンがおかしくなり、突然動かなくなってしまったことがありました。このとき、この人の別荘の話を思い出し、「毎日動いてくれていて本当にありがとう。それなのになかなか洗車に出さないし、雑に扱っていてごめんね。本当にご苦労様」と話しかけていたら、突然エンジンが復活したことがありました。ノロノロでしたが近くの修理場までは動いてくれたので、本当に助かり、それ以来、**日頃お世話になっているモノ、好きなモノ、活躍してくれていそうなモノには、日頃の感謝をこめて話しかけるようにしています。**

たとえば、母が家族の靴（特に、毎日会社へ通う弟の靴）を磨くときには、「いつも支えてくれてありがとう」と思いながら磨いているそうです。すると靴が突然光りだし……ということはないそうですが、ちょっと意識するだけで、まるで靴が生きているように感じて気持ちよくなるそうです。

自分にとっての大切なこと（たとえば仕事の会議、講演会、コンサート、試合、など）、「ここが勝負！」というときの前には、自分が使う道具などに「自分も頑張るからよろしく頼むよ、しっかりやってね」と必ず話しかける、という人もたくさんいます。すべてのモノに波動があることを考えると、このような思いで接している人と、粗雑に扱っている人で違いがあって当然だと思います。

モノの側にしてみれば、いつも自分に目をかけて信頼してくれればうれしくなって力を発揮するのです。

「いつも頑張ってくれてありがとう」そう思うだけで、そのモノが自分を支えている大切なものに感じると思います。

★自分への「ほめ言葉」はそのまま受け取る

お世辞でもなんでも、褒められたら「ありがとうございます。お陰様で」とそのまま素直に受け取ることです。もちろん日本の場合、ある程度の謙遜は必要です。自然に謙遜の一言が出てくるのは大切なことです。

でも、必要以上に謙遜したり、いつまでも否定し続けたりしていると、せっかく自分に集まったプラスのエネルギーを拒否することになってしまうので、必要以上に謙遜することなく、相手の言葉を素直に受け取ることです。

褒められたことをそのまま受け取って「その気」になると、本来はそれほど得意ではなかったことでも得意になっていきます。

私は自分の本の表紙や挿絵は自分で描いているのですが、決して絵が得意なわけではありませんでした。小さい頃から絵が上手な子供ではなかったし、美術が得意だったり、漫画やイラストがサラサラッと描けたりするタイプでもありませんでした。本の中で伝えたいことがあるときに、文章よりもイメージが先行しているので、「文章で表現しきれないところに代わりに絵をつけた」というのが、本に挿絵がついた始まりだったのです（文章力が足りない、とも言えます）。

ところが、「この絵がわかりやすい」「味がある」と褒めてくださる人が増えて、それをそのまま受け取っているうちに、「私って、結構絵が得意なのかもしれない」と思い始めました。上手ではないけれど、これはこれでいいのかも、と思うようになったのです。

すると、ますますぴったりの絵が浮かぶようになるし、描いているときも楽しく自然になってきます。下手なりにだんだんと上達していくのを感じて面白くなってくるのです。

運のいい人は、みんなすぐに「その気」になります。褒められたことをそのまま素直に受け取っているからです。

「その気」になっただけで、先の行動は変わります。
褒められたら、「その気」になるチャンス、自分の才能を伸ばすチャンスがやってきた！　と喜べばいいのです。

3 プラス思考を癖にしてしまう

★簡単にプラス思考ができるコツ

プラス思考は、癖です。もともとプラスの面を考えられる人もいますが、そうではない人も、一度始めると習慣化されます。

基本的に、**「なんでも楽しもうと思う」「どうでもいいことにはこだわらない」のふたつに気をつけていると、どんなことにもプラスの面を見つけることができます。**

● 嫌な態度の店員さんにあたった
↓「きっとこの人も疲れているんだろうな」と思う
↓こんなことで自分の心を乱す必要はない

●相手が約束の時間に遅れた
↓そのあいだにいろんなことを考えられる

●タッチの差で、欲しい物が売りきれていた
↓次回から、こういうときのために本を持ち歩こう

●久しぶりの人と「おでん」を食べに行くときに大雪になった
↓それには縁がなかった、もっと良い物が見つかるかもしれない

●出かける日に限って大雨
↓「おでん日和」だなあと思う

●嫌なことをする人だなあ、という人に出くわした
↓使うとウキウキするかわいい傘やコートをそろえておこう

●上から物が降ってきてぶつかった
↓反面教師にする、いいチャンス！

●転んで怪我をした
↓頭でなくて運がいい！

↓この程度で済んで良かった

● お財布を落とした
↓次から気をつけよう、これを機会に新しい物に取り替えよう
● 楽しい予定が自分以外の誰かが原因で延期になった
↓延期になった分、楽しみな気持ちが倍になった

ちょっと視点を変えれば、ほとんどのことは、大したことではありません。

ムッとしそうになった瞬間、気持ちが落ち込みそうになった瞬間に、カチッとスイッチをいれてプラスの面を見ようとするのです。「今日からなんでもプラスの面を見ることにしよう」と意識しただけで、変わります。運がよくなる方法は、自分の心をできるだけ楽しく、ワクワク、穏やかに、イライラしない状態にしておくことです。プラス思考をすると、その状態を維持しやすくなるのです。

毎日は、「起きたことに自分が反応する」の連続です。そのたびにマイナス面ばかり見てムッとし続ける人と、そのたびに明るい面を見て楽しく思う人では、積み重ねていくと、ものすごい差ができると思いませんか?

つまり、運がよくなる方法は毎日の瞬間瞬間にあふれているのです。

「幸せかどうか」はあなたの気持ちが決めている

よくある例ですが、コップに水が半分入っているときに、「もう半分しかない……」と思ってガッカリする人と、「まだ半分もある、うれしい」と思う人がいます。

そして、これもよく言われることですが、運のいい人は必ず後者の「まだ半分もある、うれしい」という考え方をしています。どんなことに対しても、プラスの面を見る癖がついているのです。

事実は「コップに水が半分ある」だけですが、感じ方にはふたつあって、みんな自分が勝手につけたイメージで、ガッカリしたりうれしくなったりしているだけなのです。

同じことが起きていても、自分の気持ち次第でまったくイメージは違います。

財布を落としてしまった私の友人は、一日中そのことを考えているときはとても憂鬱《ゆううつ》だったのに、その日の夜にとてもうれしいことが起こったとたんに憂鬱な気持ちはなくなってしまったと言っていました。

つまり、憂鬱になっていた原因は、「財布を落とした」そのこと自体ではなく、そこから自分が意識しだした気持ちなのです。

「損した、馬鹿だなあ、いろいろと面倒だなあ、どうしてあのとき注意しなかったんだろう」という感じ方が、一日中憂鬱にさせていたのです。

それが、うれしいことが起こって気持ちが盛り上がったとたんに、財布のことはほとんど気にならなくなるのです。財布を落としたという事実は変わっていないのに、です。

たとえば、つき合っていた人にふられて落ち込んでいても、そのあとにもっと素敵な人が現れると、前の人の面影は薄れることがありませんか?

当時は、「この人以外にはいない」と思い込んで悲しんでいたのに……、人間の気持ちの力ってすごいですよね。

起きてしまった事実は変えることができませんが、自分の気持ちは、100%自分で決めることができます。

心の状態がすべてを決めている
仕事でイヤなことが起こっても
つらすぎる立ち直れない
ああもうダメだ
プライベートでいいことがあると
お!!
すべて帳消しになる
(起こったことは変わってないのに…)

仕事はまた頑張ればいいや
いくらでも取り戻せる!!

どんなに裕福な人でも、「まだまだ足りない」「寂しい、つらい」と思って暮らしていれば、それは不幸になります。

恵まれているところを見ればものすごく幸せなのに、足りないところを見たとたんに不幸に感じるのです。

これは、どんな状況の人でも同じです。いつもマイナスの面を見ている人は、どんなに良い状況になってもなにか不満のある人生になるでしょう。

もし、今あなたが自分の前に起きている世界を「つまらない」とか「楽しくない」「なんの意味もない」というように感じているのであれば、それはあなたの心がマイナスの面だけを眺めているからなのです。

まずは小さなことにプラス思考をしてみてください。

プラス思考を始めると、今まで気になっていたどうでもいいことにイライラしなくなります。イライラすることが減ると、だんだんと「毎日楽しい」という意識に変わります。その意識が、積み重なると本当に楽しい大きなことを引き寄せてくるようになるのです。

4 直感を使う、直感の感覚をつかむ

★自分の本音で思うこと＝直感である

運がよくなるコツのひとつに、「直感で暮らす」ということがあります。

直感で暮らすというのは、いつも自分の本音に正直になる、ということです。

特に、なにかを選ぶとき、それをしようかどうか迷うときなどに、直感は効果的です。

たとえば、なにかを見たとき、聞いたとき、考えたときにふと思うことや感じることがあると思います。

それを聞いてすぐに、「なんだか面白そう！」とパッと思ったり、「理由はないけれど、すごくいい気がする」と感じるようなときです。

「感じる」と言っても、ビビビッと頭にひらめいたりしびれたりするような**特別なものではなく、「自然にふと思った」**という感じ方です。

この「自然にふと感じる」というのは「直感」の一種なのです。

「理由もないのに思いついた」というのは頭で考えていることではないので、あなたではないどこかから来ている「情報」と思ってください。

それをどこまで「情報」だと捉えて、そのとおりにしてみるかが、運のいい人とそうではない人の違いです。**この「思いつき」をどこまで信頼するか**、です。

あなたがふと思った本音というのは、その情報を知らせるためにあるのです。

ですから、たとえば、なにかを聞いた（見た、会った）瞬間、

- とてもいい気がした
- すごく好きだと思った
- パッと良い映像が浮かんだ
- 考えただけでワクワクする

● どうしても気になる（良い意味で）

というような気分になることは、「直感」が「それをするといいよ」と教えてくれているので、迷わず選んでみてください。

そして、

● どうも気が乗らない

● 考えても楽しくなれない

● なにかわからないけど引っかかるものがある

● 違和感がある

というような気分になるものは、やめることです。または様子を見ることです。

このときの「気が乗らない」という理由は、「自分にはできないと思うから」という否定的なものではありません。それはあなたが頭で考えた理由です。

「できる、できない」に関係なく、もっと漠然と「なんだか気が乗らない」という感覚が直感です。

また、その物事に対しての先入観でもありません。「これはこうなるだろう」「ああなるに決まっている」という勝手な思い込みで「嫌な気がする」のではなく、とにかく「理由はないけど、なんとなく感じる」という種類のものです。

もちろん、直感にも理由があるときはあります。「なんだかこう感じる……考えてみると理由もきちんとある」というように、説明できる理由がある場合もあります。

つまり、説明できるはっきりした理由があろうと、「なんとなくそう思う」程度であろうと、それを含めて自分の本音が答えになる、ということです。

★本音で気が動いたことだけをする

なにかを決めなくてはいけないとき、選ばなくてはいけないとき、ためしに、あなたの本音のとおりに決めてみてください。

そして、実験してみてください。たとえば「なんだか違うなあ、気が乗らないなあ」と感じたことを無理にやってみると、たいてい一番はじめの「なんだか気が乗らない」の気持ちのとおりに進んでいくのを感じるはずです。

逆に、「理由はないけど、それすごくいい気がする」と感じたことは、あなたにとって「良い結果」「楽しい展開」になっていくことがわかると思います。

ということは、はじめから「気が進まない」ということは、選ばなくていいことになります。これは「我を通す」ことではありません。結果的に、あなたにとってもまわりにとってもスムーズに進む方法なのです。はじめに変に気を使って自分の本音を無視するからこそ、あとでまわりを巻き込むやっかいなことに発展するのです。「なんだか違う気がする」と思いながら引き受けたことは、その気持ちを引きずったまま進めることになるので、いい具合にいくはずがありません。それが積もり積もって、あとになってから「やっぱりやめました」と方向転換をすれば、まわりにも迷惑になります。

こういうときに思い返してみると、「はじめから『なんだか違う』と感じていたなあ」「自分で答えはわかっていた、やっぱりこうなったか」と感じるときがありませんか？

はじめに感じる自分の本音は、実はその物事の展開をはじめからきちんと教えてくれているのです。

どんなことでも、**あなたが「本音」で感じていることが、あなたにとっては一番の答えです。**それをするかしないか、AとBとどちらにするか、選べるときは、自分の本音を基準にしてください。

「自分の本音は答えを知らせてくれている」と強く信頼してください。

★決められないときは、決めなくていい

自分の本音の気持ちがわからないときは、わかるまでほうっておくことです。こういうときも本音に素直になる、つまり**決められないときは決めなくていいとき**なのです。時間が経てば必ず自分の気持ちは動いていくので、そのときに決めればいいのです。

決まっていない状態のときに、他の誰かの判断や、無理に自分の気持ちを盛り上げてどちらかに決めると、「こっちで良かったのかな」という迷いの気持ちがずっと残りませんか？

待っているときに大切なのは、「自分の本音が絶対に決まってくるから、それまで安心して待っていよう」というスタンスになりきることです。焦ったり、必死に答えを探したりする必要はありません。

心をどっしりさせて待っていると、いろいろなところから答えが情報になってやってきます。『やっぱりこれで運がよくなった！』（廣済堂出版）に書いた、シ

ンクロニシティ（偶然の一致）現象としてやってくることも多いでしょう。

たとえば、AとBで迷っているときに、久しぶりに会った人がAに関係のある話を始めて、あなたの気持ちがAに固まった、とか、きっかけは人からの話でもいいのです。ふと目にすること、人から聞くこと、プライベートや仕事で起こる思わぬ出来事が、あなたの気持ちが決まるきっかけになります。

外側からの力で、自然とどちらかを選ばされるようなことが起こったりもします。はじめは選択肢がふたつあったのに、それが向こうの理由でいつの間にかひとつになってしまうなど、半強制的に決めてもらえることが起こることもあるのです。「たまたまそれがきっかけになっただけ」と思うかもしれませんが、あなたが、「本音を教えてほしい、答えが来る」と意識しているから、ふさわしい情報を外側に引き寄せてきたのです。

ですから、きっかけはなんであれ、とにかくあなたの本音の気持ちが「こっちがいい」と決まるまで待つことです。**自分の本音がスッキリと決まるようなことが自然と起こるので、心配しなくて大丈夫、**ということです。

★「どっちでもいい」と感じるときは？

自分の本音が「本当にどっちでもいい」ときは、それが〝答え〟です。つまり、どちらを選んでも似たような結果になると思います。

こっちを選んだから大変なことになって、あっちを選んでいれば最高だった、ということにはなりません。大差がないから、「どっちでもいいなあ」と感じるのです。

ある経営者は、何十何百の中からなにかをひとつに決めるとき、一番最後の段階では、「どちらでもいい」と思うそうです。

最後の2、3個になるときまでには、その途中でいろいろな「ふるい」にかけられています。数値的判断や人の意見など、いろいろなデータを元にして絞られているのですから、最後のふたつは能力的にはどちらでも大差はありません。どちらになるかは「縁」だけで、本当に「どっちでもいい」のです。

「どっちでもいい」と最後まで感じるときは、その時点で「ふるい」にかけられ

た最終段階のものが来ているのでしょう。ですから、大してこだわることもなく、安心して「どっちでもいい」のです。

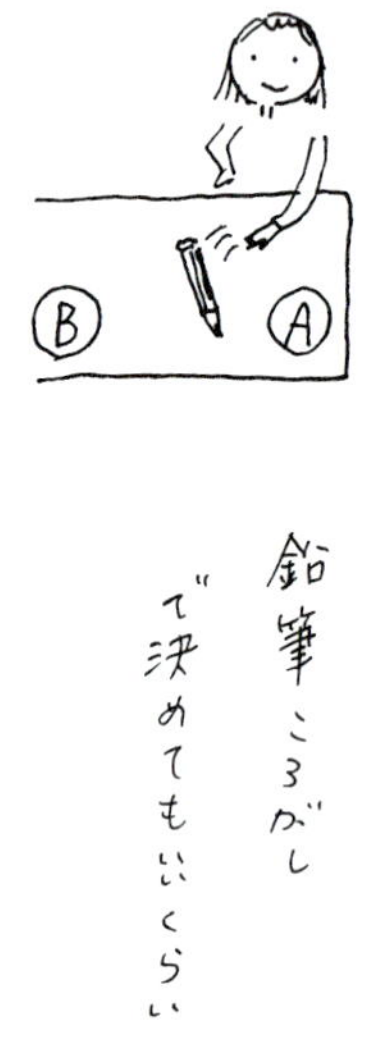
あとは、もう
鉛筆ころがし
で決めてもいいくらい

★迷ったことはやめるVS迷ったことはやってみる

私の尊敬する「師」のひとりは、「少しでも迷ったらやめる」と言います。

本当に気がノッたときというのは、すぐに「それいい!」「こっちがいい!」「やってみたい!」と思うからです。どうしようかなあ、誰かの意見を聞こうかなあ、などとは思いません。ということは、「迷う」ということ自体、直感としては「ぜひお勧め!! ではない」と知らせていることになります。

人生の時間は一応限られている、と思うと、ちょっとくらいの「いいなあ」ということをすべてやっていたらきりがありません。自分の全開の気持ちで「それいい!」ということだけを選んでいく＝そのエネルギーで選んだことはうまくいく、という流れです。

それに対して、「迷ったときはやってみる」というのも、運をよくするコツのひとつです。矛盾しているように感じるかもしれませんが、強運な人には、「迷ったらやめる」派も、「迷ったらやる」派もどちらもいます。

ただ、「迷ったときはすべてやってみる」にするときは、「迷ったらやめる」のときと心持ちがまったく違います。

「やる以上、迷いは捨てて、それに全力で取り組んでめいっぱい楽しむ」とバシッと決めて取りかかるのです。はじめは迷っていても、その方法を選んだ時点で意識を切り替えて、迷いはいっさいなくしているはずです。

「やる！　楽しむ！」という意識に切り替えれば、どんなことでも面白く発展していく可能性はグンと高くなります。その事柄の楽しいところを見ようとする意識に変わるからです。

あなたの意識と同じものを引き寄せていくので、あなたがそれに向き合ったときの気持ちが明るければ明るい展開があり、投げやりで暗ければ「それなり」の結果になるのです。結局、それを選ぶとき、向き合うときに自分がどれだけワクワク楽しくしていくかで結果は変わっていくのです。

「迷ったらやめる」「迷ったらやってみる」の両方に共通していることは、結局、「自分の気が進むことをする」ということです。

「迷ったらやってみる」という方法に決める人は、そうするほうが自分の気が進むからです。最後まで迷いながらしているのではなく、「やってみたら素晴らしい経験になるだろう、楽しいかもしれない」という意識に切り替えて、納得してそれを選んでいるのです。

でも、これはある程度訓練が必要でしょう。迷っている気持ちを振り払って、「やってみる以上、必ず好きになって楽しもう」と徹底していく強い意志が必要だからです。状況にもよると思います。「いろいろな経験をしたいと思っている時期」なのか、「緩《ゆる》やかに進みたいとき」なのか。

性格にもよるでしょう。積極的に進むことが好きな人は「縁があってやってきたことは、すべてやってみる！」という決心をしている人がたくさんいます。「迷ったらやってみるモード」に入ることができる人にとっては、それもひとつの開運法です。

★気が乗らないことをしなければならないときの方法

「それを好きになってする」のが、なんでもうまくいかせる方法です。

人間は好きなことや楽しく思うことしかできないようになっています。基本的に「嫌だ嫌だ」と思っていることは、どんなに時間をかけてもノウハウを学んでみても、長く続けることはできないのです。

ですから、選べるときは「気が動いたこと」だけを選び、それができないときは、それを「好き」になって始めるとうまくいきます。

このときに効果的なのが、プラス思考です。たとえば、

- その物事（人）の面白い面を（良い面を）見つけてみる
- この仕事から「こういうことを教えてもらおう」と決めて始める
- 自分のできる限りの力で集中し、「最短期間で済ませてみよう」と決める
- あえて「まわりを圧倒させるくらい完璧にやろう！」と決める
- 「これが終わったら○○をしよう」とご褒美を設定してから始める

など、ただの自己満足でかまわないので、なにか理由を見つけて「やってみよう、面白いかもしれない」という気分になって始めることです。

良い部分にスポットライトを!!
ここを見る!!
やらなければならない、となったら、
もう選べない以上
同じ時間を快適にした方がいい

★ 占いと直感（本音）が違うときは、どちらを優先させるか？

占いでわかることは、たしかにたくさんあります。

今年はこういうことが起こりやすい、あなたの人生はこういう流れになる、本来こういうことをしたほうがうまくいく、など、未来のことがわかる場合もあるでしょう。

でも、**それはあくまで「傾向」で、100％決まっていることではありません。**

たとえかなりの確率でそうなるとしても、そうなったからといってあなたが不幸になるか、幸せになるか、そこまでは占いではわかりません。その状況になってあなたが幸せを感じるかどうかは、あなたにかかっているからです。それをすると幸せになれるかまで、占いで教えてもらおうとした瞬間に、占いに振り回されることになります。

たとえば、AとBとどちらにしようか迷うとき、**本当にどっちでもいいことであれば、**占いで決めるのもたしかにひとつの方法だと思います。

でも、「本当にどっちでもいい」と思うことというのは、実はあまりありません。本当にどっちでもよかったら、最初から悩まずにパッと決めているでしょう。ということは、占いに「どちらにすればいいでしょうか?」と聞くときは、聞いていながら「できればこっちがいいなあ」という気持ちがどこかにあるはずなのです。

思い出してみてください。「本音の気持ちはAだけど、それだけで決めてしまうのは心もとないから聞いてみる」とか、「後押ししてくれる材料が欲しくて聞いている」ということが多いと思います。

その証拠に、「こっちはやめなさい」と言われたらガッカリすることがありませんか? 本当に「どっちでもいいです、どちらがいいですか?」というスタンスであれば、ガッカリはしないと思います。否定されてガッカリするということは、あなたの本音は、その否定されているほうだった、ということです。

本当は強い本音の気持ちがあるのに、占いで「そっちは良くない」ということを言われたために、「本当はこっちが良いけれど、あっちにしよう」「やりたかったけれど、あきらめよう」という決め方をするのは危ないことです。

何度も書いているように、本音で感じていることは直感であり、あなたにとって「そっちがお勧めですよ」という見えない世界からの情報です。

占いの結果で、自分の本音とは違うことを選ぶと、あとになって必ず不満が出てきます。占いのとおりに選んだことがちょっとでもうまくいかなくなれば、その占いや占い師のせいにしたくなるでしょう。たとえうまくいったとしても、「本当はこっちがいい」という自分の気持ちを無理に別のほうへ持っていったわけですから、「あっちにしてもうまくいったかもしれない」と思い始めます。

それに、自分が「これをやってみたい」と思ったことをそのときはじめて会った占い師の一言で簡単にあきらめられるでしょうか？　あきらめられるのであれば、はじめからその程度のことだったのでしょう。好きなことをしたのですから、それで思い通りの結果にならなかったとしても、あなたの気持ちは精一杯やったという満足感でいっぱいのはずです。それをあきらめて、別の選択肢のほうでまあまあうまくいったとしても、心の満足度は低いでしょう。

占いの結果を伝える占い師は、どんなに素晴らしい能力のある場合でも、あな

た と同じ「人間」です。人間ですから100%完璧にわかるということはありません。それは神様の領域だと思います。

また、ひとつの事柄を「良い」「悪い」と感じる捉え方も、人によっていろいろです。たとえば、同じなにかを我慢するときにも、「ここまでは平気」という人と、「それは絶対に無理」という人では、それがつらいことになるか、大したことではないか、判断に違いが出てきますよね。つまり、「その占い師にとっては悪いイメージがあるかもしれないけれど、自分にとってはそれほどでもない」という場合もあるのです。

よく考えてみると、**占いを聞く前から、あなたの本音は決まっていませんか？**

あなたの気持ちをスッキリさせるために占いを「利用する」のはいいと思いますが、答えはいつも、あなたの本音が教えてくれています（占いについての詳しい話は『占いをどこまで信じていますか？』（幻冬舎）に書きましたので、そちらを参考にしてください）。

5 いつも「今、この瞬間」を楽しむ

★目の前のことを全力ですると「運のいいこと」につながる

未来は、「今」の繰り返しです。

今日すごく楽しいことがあって、それが明日もあさっても、ずっと続いていく人は、1年365日、一生が「楽しい生活」ということになりますよね。

ということは、今のこの瞬間をどれだけ楽しむか、にかかっているのです。

たとえば、今夜の食事の予定を「めいっぱい楽しもう」としていますか？

参加しながら、心が別のことを考えていることはありませんか？

明日の仕事、雑用、心配事など、他のことが心にあれば、目の前の食事に意識が集中しないので、その食事が楽しいなにかに発展していくことはありません。

母とのウォーキング（時間があるときの、私と母の日課です）の途中に、一休みするカフェがあります。そこに、いつもニコニコと楽しそうに働いている店員さん（多分20代半ばの男性）がいます。業務用の笑顔とは別に、本人が本当に楽しんでいる様子が伝わってくるので、自然と目がいってしまうのです。

「もし私がカフェを開くとしたら、絶対あの青年を引き抜きたい、って思うなあ」といつも母と話しています。

また、近くのスーパーマーケットのレジにも、とても目を引く店員さんがいます。独特の声質で話し方にも特徴があるのですが、なんとなくテンポが良くて、思わず聞いてしまうのです。母などは、「あいているときにはあの人のところに並ぶの」なんて言っているくらいです。

同じように感じている人は、私たち以外にもきっとたくさんいるでしょう。実際、近所でも評判で、スーパーを経営している人だったら「来てもらいたい」ときっと思うと思います。

目の前のことを楽しんで一生懸命している人は、それが次のうれしい出来事につながります。ほとんどの場合、その面白くて新しいことは、今目の前にあるこ

とがきっかけになっているのです。

今日会う人との会話、仕事中の出来事、面倒に思える雑用……この中のなにがきっかけで面白いことが起こるかはわかりません。そう思えないのは、「今日もいつもの繰り返しで、面白いことはなにもないだろうなあ」と勝手に決めているからです。

あなたがなにも期待していない雑用から、面白い展開をしていくことはたくさんあります。あとから振り返ると、あのときたまたま聞いたこと、たまたま目にしたことがきっかけだった、ということが起こるのです。

それが起こったときの自分の心の状態を思い出してみると、そのときの自分が「今日一日を楽しもう、なにが起こるか楽しみだなあ」という気持ちでいたことがわかります。

「今」を楽しくしている人は、また楽しいことを引き寄せてきます。

毎朝、「今日、目の前に起こるひとつひとつを楽しもう」と思うだけで効果があります。

すべてを無理に楽しもうとしなくていい

前項の「今をめいっぱい楽しむ」というのは、「なんでも張りきって無理に明るく」ということではありません。そのとき目の前にあることに集中するという意味で、空元気《からげんき》で乗りきることとは違います。

「楽しもう」という気持ちで参加したのになにも面白いことがなかったときに、「やっぱりなにも起こらなかった」とか「どうして私はこういう集まりを楽しめないんだろう」なんて考え込む必要はありません。期待しても空振りだったときは、「今日は楽しくなかった、以上、丸！」です。

そこで考え込まず、淡々と次にいくことです。あなたが自然体にしているのに楽しめなかったことは、あなたにとっては縁のなかったことです。

★今ある縁を大事にする

あの人に出会えたお陰で今の自分がある、ということがあると思います。

でもよく考えてみると、その人に出会えたのは、その人を紹介してくれたAさんがいて、その前にAさんを紹介してくれたBさんがいて、Bさんのいた会社に入社するきっかけを与えてくれたCさんがいて……そういうことがみんな絡み合ってAさんが出てきたわけです。

たまたまAさんが、一番目に見えて自分を助けてくれることになっていたとしても、途中のひとりでも欠けていたら「Aさん」は出てこなかった、ということは、**どの一瞬の出会いもすべての出会いを含んでいる**ことになります。

ですから、今ある目の前の人たちを大事にしていると、また次の大事な人たちと出会います。

今逆に、目の前にいる人たちを無視するというのは、今までの自分を全部否定することになるのですから、先につながることはなくなるのです。

また、人脈はたしかに大切ですが、ただ人脈を広げようという目的だけで人とつながろうとすれば、その意識と同じように自分を利用しようとする人がやってきます。まわりには、あなたの意識と相応のものがやってくるからです。

そして、「この人は人脈を広げるために近づいているんだな」というエネルギーは必ず相手に伝わります。まわりの人にもわかります。

無理に広げようとしなくても、必要のある人とは必ずどこかでつながります。頑張らなくても、出会うときには出会うのです。一生懸命人脈をつくろうとしても、うまくいくときはいくし、いかないときはいきません。

そう思うと自分に無理強いをしなくていいので、とっても楽になり、逆に、今目の前にいる人との「この瞬間」を楽しもう、と思うようになります。

6 自然の流れにまかせる

★スムーズに決まらないときは決めない、無理強いをしない

なにかを決めようというときに、いまいちスルッときれいにいかないときがあります。自分の気持ちは固まっていて「こうしたい」と思っているのですが、状況的になかなかうまくいかない、というようなときです。

そういうときは、しばらく待ってみるのがお勧めです。

自然の流れにまかせるのです。

数週間前のこと、来月に予定している国内旅行のスケジュールを考えていたときのことです。

はじめて行く場所なので、仕事のついでに予定を延ばして5日間ほど滞在する

ことにしていました。

行き先は決まっているのですが、「この旅館にすると交通の便が悪く、空港から便利なところにすると適当な旅館がない。そもそも、仕事が終わってその場所でなにをするのか、なにを見るのかも決まらない」という状況でした。

気持ちも「時期がせまっているから早くしなくちゃ」と無理に決めようとしているので、あまり楽しくもありません。

そこで「スルッと決まる流れが来るまで待とう」と決め、無理に考えるのをやめました。

1週間後、散歩のついでに近くの本屋に寄ったときです。パッと目についた本が、私が行く予定の地域の本で、はじめに開いたページに、ある神社のことが書いてありました。その神社が私ととても縁の深い神社であったので、「ああ、今回の旅行はこの神社にお参りに行けばいいんだな」と、自然と目的が決まったのです。

その神社を中心に「神社めぐりの旅にしよう」と思って調べてみると、その神社の近くに泊まりたかった旅館が見つかり、それから数日のうちに、その地域や神社の話をしてくる（こちらからはなにも話していないのに）人が続出したので、ますます目的が定まり、スケジュールがトントン拍子に決まったのです。

飛行機まで、乗りたい日のその時間の空席が残り1席でした。

まるで、その神社を見に行くために仕組まれたかのように、すべての手配があっという間に整ったのです。その後も、引き続き情報が集まってきたことは言うまでもありません。

何事も、無理なくスルスルスルっと決まるのが一番理想的です。

スルスルッと決まることというのは、タイミングが良いのです。

始まりが良いタイミングでスタートすれば、最後まで流れるようにうまくいきますが、はじめに無理を通そうとすると、その無理がどこかで問題を起こします。

どこかで押さえつけて通そうとしたエネルギーは必ず反発するので、途中で思いがけないトラブルが起こったり、変更させられるようなことが起こったりするのです。

自然な流れで決まれば、自分の心やまわりの人に対しても無理をしていないので、それが心から楽しみになります。

逆に言えば、**何事も、自然に無理なく決まる状況になるまで待つこと**なのです。「待つ」というのは、なにもしないでほうっておくことではありません。停滞しているのではなく、動きを止めて様子を見る、という行動をしているのです。

待っているあいだ、心配しながら待つのではなく、『これでよし』という状態に必ずなる、そうなる情報が自然に来る」と思って安心して待っていれば、本当にそれを引き寄せてきます。

このコツをつかむと、いつも自分の気持ちが「スッキリ」という状態でそれを始めることになるので、結果的に目の前のことを全力で楽しむ、ということにつながるのです。

な〜んだか
スムーズにいかない
ムリに進めている感じ
ア!!
こういうときは
情報がくるまで
待てばいいんだった
別のことを
しておこう

「こうあるべき!」とこだわりすぎない

これは絶対にこうでなくてはいけない、という「こだわり」が多すぎると運は下がります。もちろん、「こだわり」は「自分らしさ」をつくっている部分でもあるので、必要なこともたくさんありますが、増えすぎると自分が苦しくなります。

「こうでなくてはいけない」というのは、「そうならなかったらダメ、うれしくなれない」ということなので、増やしすぎると、幸せを感じるハードルを自分で高めてしまうことになるからです。

「これは絶対にこうしなくては!!」と思い込んでいると、自然の流れにまかせられなくなります。

自然の流れにまかせていると、一見自分の望みには沿っていないように感じることも起こりますが、結果から見ると、それがあったからこそ夢の実現につながったということもあります。

反対に自分の勝手な「こうでなくてはいけない」を通そうとしたために、せっかくうまくいくように流れていたものを壊していることもあるのです。

「こうなることが幸せ」と自分では思っていた枠組みの外に、もっと幸せを感じることがあるかもしれません。自分の視野が狭いから気付かないのです。流れにまかせていたら、もっと面白そうなものがやってきたかもしれないのに、「こうでなくてはいけない」という心のブロックで、それを拒否していてはもったいないですよね。

「基本的にどっちでもいい」というスタンスになって柔軟になると、「いいこと」を起こす自然の流れに乗ることができます。

7 守られていることを意識する

★ うまくいったときは自分以外の「お陰様」と思う

最近、目に見えないものの存在をかなりおおっぴらに話すことができるようになりました。私自身は、目に見えないものが見えてしまう体質ではありませんが、「この世は、人間だけで成り立っているものではない」ということは強く感じます。

目には見えないけれど、誰にでも自分を守ってくれているものがあるのです。それがご先祖様なのか、前世の魂なのか、守護神、守護霊や八百万《やおよろず》の神なのか、そのすべてが交代で見てくれているのか、深いことはわかりません。

でも、その守ってくれているものの存在を認めてそれに感謝をすると、ますます運が良くなるようになります。タイミングも良くなるし、いろいろなことが導かれるように進んでいきます。

先日、知人が話していたことです。

昼間、銀行や郵便局に行かなくてはいけない雑用を抱えて駅に向かって歩いていたときでした。ふと、道の反対側にある病院が目に留まり、まるで吸い寄せられるように道路を渡って、気付いたときには受付を済ませて診察を受けていたそうです。本人としては済ませなければならない用事がたくさんあるのに、足が勝手にそちらへ向かっていたというのです。

その診察で、血糖値がとても高くなっていることがわかりました。それを知った瞬間、その人は言いました。

「わぁ、教えてくださってありがとうございます。今日気付かなかったら、もっと悪くなっていたと思います」

「今のうちで本当に良かったです。いいときに知りましたよ」

とそのお医者さんも言いました。

「まるで、今知らなくてはいけないことを知らされたみたいだった。だって私としては『そこに行くつもりはない』って思っているのに、体がそっちに向かっちゃうんだもの」

と、その人は話していましたが、このように、**自分にとって本当に必要なことを守ってくれている〝なにか〟が知らせてくれるときがある**のです。

そしてこういうときに、「血糖値が高くて大変なことになった、どうしよう」と思うのではなく、「今のうちで良かった、なにかが守ってくれたんだわ、ありがたい」と心から思える人は、守られている力を感じることができるし、その出来事が悪い方向へ進んでいくこともありません。

守っている側にしてみても、「いつも守ってくれていてありがとう」と思ってもらえているほうが、全力で力を貸してくれるはずです。

私は、間一髪で交通事故をまぬがれたことが2回あります。

1回目は大学生のとき、夜明けの首都高速を運転していたときのことです。急カーブを曲がった目の前に、突然大きなトラックが横倒しになって道をふさいでいました。

本当に突然のことで、角を曲がった瞬間目の前にトラックが現れたので、普通のスピードで走っていたら確実に衝突するところでした。

実は早朝で車の数が少なかったので、かなりのスピードで走っていたのですが、なぜかその数秒前にブレーキを踏んでいたので、ぶつからなくて済みました。本当に冷や汗が出ましたが、その瞬間「なにかが守ってくれたんだわ」と思いました。

2回目は5、6年前のこと。母と知人と3人で高速道路の一番右側の車線を走っていたときです。

私は後部座席から前方を見ていたのですが、突然、数台前の車がパッと横向きになりました。多分、スピンかタイヤのパンクだったのだと思いますが、一瞬で車が横向きになり「え?」とみんなが息を呑んだ次の瞬間、その車が左の2車線をツツーッと横断して、一番左側の壁に沿って停まったのです。本当に一瞬の移動で、テレポーテーションのように見えました。

他の2車線にもびっしりと車が走っていて、かなりのスピードで走っていたはずなので、そこを通り抜けるのは、ねらってしてもできないでしょう。コンマ1秒でもずれていたら後ろの車を巻き込む大事故になっていたと思います。

わずかな車間をすり抜けて一番左に移動し、まわりの車もその車も無傷で終わったとは、まさに「神業《かみわざ》」です。私たちを含め、前後の車の人たちもみんなポカンとして急いで後ろを振り向いていたのが印象的でした。人の力ではどうしようもないことを、間一髪でなにかが守ってくれたのだと思います。大きな事が起こりそうになってはじめて守られている力に気付くのです。

日常生活で守ってくれているものの力を意識していると、その力はもっとやってくるようになります。

「こうだといいなあ」と思っていることを絶妙のタイミングで出現させてくれたり、ちょっとした「ラッキーだなあ」ということに形を変えて、知らないあいだにあなたが良い方向へ進むように守ってくれます。

強運な人は、ほとんどすべての人が「目に見えないものの力」を意識してそれに感謝しています。「お陰様」という言葉がありますが、まさに、見えない陰になっているモノたち「さまさま」なのです。

★見えない世界を無視しない

この世界は、人間だけで生きているのではありません。自然界に共存している動植物はもちろん、一般的に**目に見えない世界のモノやその力**などが絶妙にからみ合っています。宇宙のエネルギー、自然のパワー、あらゆる種類の神様、守護神や守護霊とされているもの、天使や妖精の類、前世に関係のあるものなど、私は専門家ではないのでここで詳しく書くことはしませんが、「見えないから」というだけで一掃してしまうにはあまりにも奥が深いものです。

詳しいことを知らなくても「そういうものがある」ということを馬鹿にしないこと、神社へのお参り、お墓参り、お盆やお彼岸などの年中行事、神棚やお仏壇へのお礼などを軽く思わないことです。

「縁起が良い、悪い」とされているような言動も同じです。**あまり細かいことまで気にする必要はありませんが、「縁起が良い」ことが起これはそれはやはり良い意味があり、「縁起が悪い」とされていることは絶対にしないほうがいいのです。**

★でも！　見えないモノにとらわれすぎない

起きてくる現象を、なんでも「不思議な世界、目に見えない世界の話」に結びつける必要はありません。

また、目に見えないものが見える人のほうがすごいということでもありません。本来は見えないように生まれているのですから、見えなくていいのです。見えなくていいものが見えてしまうということは、不便なこと、わずらわしいこともたくさんあるでしょう。

以前、『金曜日のスマたちへ』というテレビ番組に、江原啓之さんと美輪明宏さんが出ていらっしゃったときのことです。会場にいる女性が質問をしました。

「仏壇に飾ってあるおじいさんの写真が、ある日突然倒れていました。これはなにか意味があるのでしょうか？」

それに対しておふたりは言いました。

「そんなの……、ただ倒れただけよ」

笑ってしまいましたが、まさにおっしゃるとおりだと思うのです。

まわりに起こることは偶然ではなく、すべて自分へのメッセージが隠されていますが、日々の小さなことにまで無理矢理「意味づけ」をしないことです。

たとえば朝起きてすぐに転んだことを「これはなにかの『お知らせ』か!?」なんて思う必要はないということです。

上の世界から見ると
気にしない気にしない
こだわりすぎない
考えすぎない

これはナニ?
なんのお知らせ
見えちゃった
こんなものが
見える自分って
すごいかも
アタフタ
アタフタ….

8 とにかく感謝をする

とにかく「ありがとう」を唱える

「ありがとう」という言葉に、良いエネルギーがあるということは、今では誰もが知っています。「ありがとう」を唱えていたら奇跡が起こったという体験談や、「ありがとう」という言葉にある言霊の力を証明するような実験もたくさんなされています。単純に、「ありがとう」を言うと、言っている自分も言われた相手もうれしくなります。

先日、友人のYさんから聞いた話です。

彼女が使う電車の駅で、いつも階段を掃除しているおばさんがいました。

彼女は出勤時にこのおばさんに会うたびに、「おはようございま～す。いつもきれいにしてくださってありがとう」というような言葉をかけていました。あるとき、いつものようにそのおばさんの近くを通りかかったら、「お姉ちゃん、待っていたんよ」と奥からきれいなお花を持ってきてくれて、「いつも声をかけてくれてありがとう」と言われたのです。

さらにその数日後、またそのおばさんに挨拶をしていると、突然ひとりの男性が話しかけてきました。

「突然すみません。いつもあのおばさんに笑顔で声をかけていらっしゃいますよね。僕そういう方を見るのははじめてで、最初びっくりしたんですけど、ちょこちょこ声をかけていらっしゃるときに遭遇して、そういうのってなんかすごくいいなって思って、まだ自分自身は恥ずかしくてできないんですけど、僕もやってみようと思いまして……」と言われたそうです。ただの「ありがとう」が、いろいろな可能性を生むことになります。

ためしに、「ありがとう」を100万回唱えてみることにします。10万回くらい唱える頃には、なにか、変化が始まってくるかもしれません。

気持ちのこもっていない「ありがとう」では意味がないのでは？　と思う人も

いるかもしれませんが、とりあえず「ありがとう」に悪い影響があるはずはないのですから、ためしてみる価値は充分にあると思います。

こういうことを「くだらない」と思う前に、実際に効果があるのかどうか自分でためしてみればいいと思います。それに実践するのに、それほど大変なことではありません。

本当になにか変わるのか、「早く今日の分を数えなくちゃ！」とウキウキしてきませんか？

一歩に一回
ありがとう
ありがとう
冬は
ポッケに"カウンター"を
入れていた
カチカチ

★ご先祖様のことを思い出す

ご先祖様は、自分の元祖、基本、源《みなもと》の存在です。ご先祖様たちがいなかったら、今の自分は生まれていません。

ご先祖様の側から見れば、子孫の不幸を望んでいるはずはないので、いつもどこかで自分を見てくれているはずです。そして、いざというときに力を貸してくれています。自分の力とは思えないようなラッキーなこと、人間の力とは思えない神業は、ご先祖様がどこかで手助けをしているのかもしれないのです。

そこに感謝してご先祖様のことを忘れないようにすれば、ご先祖様はもっと力を入れて守ってくれます。

ふと気が向いたとき、どうしようかなと思っていることがあるときなどには、ご先祖様に話しかけてみてください。お墓参りをするのでも、自宅のお仏壇に手を合わせるのでもかまいません。ひとり静かに目をつぶるのです。

このときのポイントは、まずはひたすら日頃のお礼をすることです。「いつもありがとうございます」とか「見えないところで守ってくれているから、お陰様で元気です」など（お願いをするのは、どうしてもある場合に限り、そのあとです）。

人の一生などを、占いやその類《たぐい》のもの（四柱推命、算命学などに代表される統計学や易学など）でみてもらうと、「この時期には、悪いことが起こりやすい」という時期が出てきます。本来その人が持っている勢いや宇宙の星の流れ、バイオリズムなどの組み合わせで、「他のときに比べると大きなことになりやすい時期（必ずしも悪いわけではないのですが）がある」ということです。

ところが、そのような「悪い種類のことが起きやすい、どう好意的に見ても良い時期ではない」というときにも、なにも大変なことは起きなかった、という人は結構います。

そういう人には、ご先祖様をはじめ、神仏を大切に暮らしていた人が多いのです（ひとつの宗教に所属したほうがいい、ということではありません）。

そのお陰でなにも大事件が起きなかった、または、本当はもっと悲惨なことになり得るところを大難が小難で済んだ、となっていることがあるのです。

「平凡な1日」こそ感謝をする

今日もなにもない平凡な1日だった、と思うことがありますが、「なにもない」ということが、実はなによりすごいことだと思います。

今の時代は危険がいっぱいです。人災、天災、突然の事件にいつ巻き込まれるかわかりません。

普通に外を歩いているだけでも、あの車がちょっとよそ見をしていたらこちらに突っ込んでくるかもしれないし、あの工事現場から物が落ちてきたら頭が陥没するかもしれないし、後ろの人がよろけてぶつかってきたら車にひかれるかもしれないのです。

なにも起こっていないからそれが当たり前に感じているかもしれませんが、いろいろなタイミングがうまく重なっているからこそ、何事も起こらないでいてくれるのです。また、寸前のところで見えないなにかが助けてくれているかもしれません。助けてくれていたから「なにもなかった」という結果になっているだけかもしれないのです。

何事もない（＝無事）というのは、すごいことです。

不思議なことに、何事もない毎日を幸せに感じて感謝をするようになると、今度はもっと感謝したくなる具体的なことが起こるようになります。

感謝するから素晴らしいことが起こるのか、素晴らしいことが起こるから感謝をするのか、これも「運がいいことが起こる仕組み」と同じように鶏とたまごの関係です。感謝したくなるような特別なことがなにもないというときは、自分が先に感謝をしてみてください。すると本当に感謝したくなるようなことが後から起こるようになります。

なにかが起きて
はじめて
平穏無事＝幸せ　だったことに気付く

★「運のいいことがあったあとには悪いことが起こる」とは決まっていない

すごく良いことが続いたあとに、「こんなに良いことばかりだと、今度は悪いことが起こるのではないか」と心配する人がいますが、「運は上がったあとに下がる」というようなものではありません。

良いことのあとに悪いことが起こるのは、次のふたつの場合です。

① 「今度は悪いことが起こってしまう」とあなたが思っているから（その意識と同じ状況が引き寄せられる）。

② 良いことが起こったときにすべて自分の力だと思って感謝が足りないから（それをお知らせするために、一見悪いことが起こる）。

ものすごく大きな「運がいいなあ」ということが起きたときほど、それは自分の力だけではありません。本当に自分の力だけだと思えば、「運がよかった」とは感じないですよね。

もちろん、運は自分で引き寄せてくるものですが、それは目に見えないタイミングや、いろいろな人の影響力など、ちょっとした力がたくさん噛み合った結果です。どこで誰が助けてくれて、どのくらいのタイミングの良さが重なっていたのかはわかりません。目に見えないものも、見える力も、すべてがちょっとずつ力を貸してくれたお陰……「お陰様」なのです。

ですから、うまくいったときはそこにめいっぱい感謝しないと、しばらく経つと落とし穴のような〝なにか〟が起こります。

でもそれは、「すべて自分の力でやったと思っていませんか？」ということを気付かせるために起きていることで、「運のいいことの次は悪いこと」という順番で決まっていることではありません。

事実、「ありがたいなあ」と心からまわりの人やモノなどに感謝している人の、運が悪くなることはありません。

信じられないような運のいいことが起こったり、タイミングよく流れるように物事が運んだりすることを実感すると、「これはどう考えても自分の力だけではない」と感じて、自然となにかに感謝をするようになります。

「うまくいったから感謝をしなければ」と気をつけるようなことではなく、感謝を自然としたくなるようになります。

運の良いことのあとに
悪いことが起こるとき
パターン1
次は悪いことかも
ここで運を使い果たした!?
……と思っているから
引き寄せる
パターン2
どんなもんだい
全部実力
自分ってスゴイ
勘違いしているから

第2章

日常生活で習慣にしよう

これさえすれば運はよくなる

行動編

はじめの
い〜っぽ

行動を変えると

なにかが変わる

9 運気のいい部屋をつくる

★部屋を好きなもので満たすと運気が上がる

「好きだな」と思うモノに囲まれて過ごすと、運は上がります。

運をよくする基本は、いつも自分の気持ちをどれだけ穏やかで明るくてワクワクした状態に維持できるかにかかっているので、見ているだけでうれしくなるモノが近くにあれば、心を明るい状態に維持しやすいからです。

「部屋」というのは、その人の生活の基本になるところです。

そこから外へ出て、またそこに戻ってきて、寝る時間を入れれば一番長く時間を過ごすところです。

それほど長い時間を過ごす場所から、なにも影響を受けないはずがありません。

パワースポットに足しげく通うのもいいですが、まずは、自分の部屋を「ああ、気持ちいいなあ」という状態にしておくことです。

目が覚めたときに部屋が快適に整っていると、それだけで気持ちが良くなりませんか？

きちんとした生活をしているような気持ちで出かけることができて、帰ってきたときも部屋に入ったとたんにホッとするでしょう。

部屋は、外から抱えてきたいろいろなものをリセットする場所でもあるのです。毎日毎日快適な空間にい続ける人と、そうではない人の違いはすごいものです。

見ているだけでうれしくなるもの、あなたが豊かな気持ちになれるもの、楽しいことを思い出す品々、居心地良くなる匂い……わざわざ外のサロンに行かなくても、本当は自分の部屋が一番の癒し空間になれるはずなのです。

★自分にできる風水は実践する

方角や色にはそれぞれきちんと意味があり、それを意識して使うことで〝良いパワー〟をもらうことができます。

そんなに簡単なことで良い効果があるならば、できることはすぐにやったほうがいいと思うのです。

ここで**大切なことは、今の自分にできる範囲でいい**、ということです。

風水ひとつでも、凝り始めるといろいろな考え方や方法があります。状況によって、できないこともたくさん出てくるでしょう。

風水のために無理に家を改造することはないし、家全体を変えられないときは自分の寝室だけでもまずは充分です。「こういうことはあまり良くない」を避けるだけでもいいと思います。

●〇〇に良いとされる色でベッドリネンをそろえる

- この方角に、〇〇を置く
- 自分の運気を上げる色を持ち歩く
- 水まわりをきれいにする
- 今年は、この方角の掃除を特に念入りにする。etc.

大事なことは、これをすることで気持ちがサッパリしたり、「よし、**これで効果が出てくる！　なにかが変わる！**」と気持ちが盛り上がったりすることなのです。その意識があると、効果も倍増します。

宝くじを続けて当てた人は、金運の上がる風水を徹底して実践しているそうです。そのパワーを本当に信じて、風水を実践したことで気持ちが安心して自信が生まれるのであれば、できる範囲でとり入れてみてください。目に見えない力は確実に力を発揮します。

★悪い流れをリセット！　いつも風通しを良くする

気の流れが淀んでいると、そこには嫌なものが（目に見えるものも見えないものも）たまります。

あまり良くない種類のもの（たとえば、霊、お化けの類）が出るとされている場所は、そこに入ったとたんに、どんよりと重く湿った空気が流れているのを感じると思います。

私は敏感な体質ではありませんが、少なくとも、そうした場所が明るくてすがすがしい風が通り抜けているようには思えません。

毎日、朝一番、窓を開けて部屋の換気をしてください。それだけで、前の日までにたまっていたものがリセットされます。

★「夢ボード」をつくる

机に座ってすぐ見える位置に、「夢ボード」をつくってみてください。

あなたの夢を連想させるもの、なりたい姿の写真、好きなものなど、見ただけでモチベーションの上がるものをピンナップしてみます。

私の仕事部屋にも夢ボードがあって、「私の好きなもの」が無造作に貼りつけてあります。写真や紙の場合もあれば、その「物」ズバリ（気に入っている色合いの布のサンプル、リボン、ポプリなど）が貼られているときもあります。

私の家族も、各自の部屋に「夢ボードらしきモノ」があります。楽しかった旅行の写真や、人からもらってうれしかったカード、子供時代に私が描いた絵、好きな言葉など、本人が気に入っているものがピンナップしてあるのですが、中には、「これは一体なに？」と思わず聞きたくなるような不思議なもの（植物や、一体どこがポイントなのかわからない雑誌の切り抜きなど）もあります。

無造作にくっつけているだけですが、「好きなもののテイスト」には統一感があるので、自然とまとまった色合いになるのが不思議です。

「ダイエット中に、理想のプロポーションを持つ人の写真を貼って、見るたびにモチベーションを上げた」「入学試験を控えているときに希望の学校の写真を貼り、なまけたくなるときにそれを見ると休まず勉強できた」というように利用している人もいますよね。

毎日眺めていると、それが当たり前のこととしてイメージに浸透していきます。

忘れそうになるたびに、意識にビジュアルで記憶される、つまり、知らないあいだに夢を実現するイメージトレーニングをしているのと同じ効果があるのです。

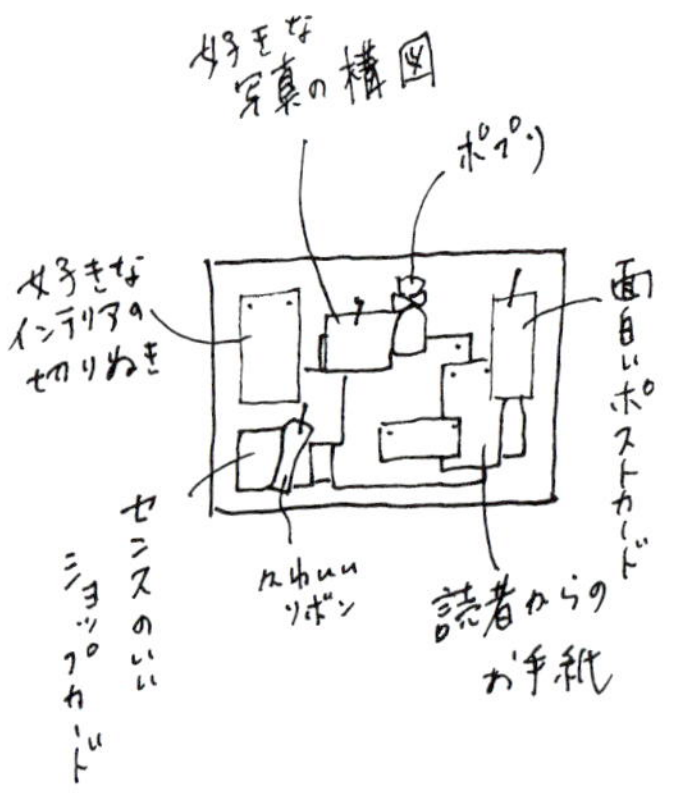

好きな写真の構図
ポプリ
好きなインテリアの切りぬき
面白いポストカード
センスのいいショップカード
かわいいリボン
読者からのお手紙

10 自分のモチベーションを高める工夫をする

★五感を刺激して気持ちを盛り上げる

心が震えるような音楽、感動する映画、質の高い美術品など、なにかに心から感じ入ると、誰でも気持ちが盛り上がりますよね。

「素晴らしいなあ、素敵だなあ、こういうふうになりたいなあ」と感じ入ると、その気持ちになったことがきっかけで急に活動的になったり、さっきまで面倒に感じていたことさえなんでもなくなったりします。

こういう心の盛り上がりを、日常生活で意識してつくり出すことです。自分のモチベーションを高める工夫をするのです。

たとえば私の場合、大きな仕事にかかる前には、格好いいキャリアウーマンが主人公の映画（DVD）を観ます。すると自分も仕事をバリバリこなしたくなって、見終わったときにはきちんとした格好に着替え、お化粧もして机に向かいたくなります。ダイエットをしなくてはいけないときには、素敵な女性が出てくるエレガントな映画を観ると、「美」に対してのやる気が出ます。

雑事に追われて慌しいときや面倒なことをしなくてはならないときには、穏やかなクラシック音楽や讃美歌を聴くと「ひとつひとつ順番に片付けよう」という落ち着いた気持ちになります。雄大な景色の出てくる写真集などを見るのも効果的です。

執筆中に進まなくなると、本を持ってすぐにお風呂に入ります。こういうときの本は「何度も読んでいるのでストーリーは全部わかっているけれど、すごく気に入っている小説」であることがポイントです（私にとっては）。

ストーリーや登場人物の生活など、読んでいるだけで気持ちが盛り上がってきて、30分もしないうちにまた仕事がしたくなります。はじめから、その効果を期待してそれを読んでいるのです。

いつも変わらずにモチベーションが高い人はいません。そう見える人は、定期的、継続的に自分の心に刺激を与えてモチベーションを維持させているのです。

なにをすると自分がスムーズにその気分になれるかを知っておくのは効果的です。人によっては誰かの講演ビデオを見ることでやる気が高まるかもしれないし、好きなミュージシャンの音楽を聴くと落ち着くかもしれません。自分が安心する匂いが必要な人もいるでしょう。五感を刺激するような演出をしてから取りかかると、普段の倍の早さと楽しさで向き合うことができます。

なぜか お風呂に入ると
ヤル気が出る
よしっ!!
素敵な衣装、たとえば
華やかな昔の宮廷世界、や貴族の
きれいな女性の
出てくる映画も
効果的

いつも「自分なりにキマッテイル格好」で出かける

洋服は、自分のモチベーションを手っ取り早く上げる方法のひとつです。**中身を変えるのには時間がかかりますが、洋服は誰でも簡単に変えることができるから**です。スポーツをするときに、それに合わせたウェアをそろえると、それだけでやる気が湧くのと同じです。ゴルフ、テニス、ヨガ、フィットネスジム……、まずは格好から入ると、「その気」になってワクワクしてきます。

自分なりに「これは絶対に自分に似合う」とか、「この色は顔うつりがいい」とか、「この組み合わせは好き」という格好が誰にでもあると思います。

もちろんTPOを考えることは大切ですが、自分なりにキマッテイル格好をしていると、それだけで気分が上がります。逆に、外見でなにか気になることがあると、それだけで気持ちが沈むようなときがありませんか？　髪型が決まっていない、太り気味でむくんでいる、肌が荒れている、なんて感じているときは、他の人にはそう見えなくてもなんとなく憂鬱になりますよね。

外見をつくると自分のモチベーションは上がり、先に外側を変えたことで中身まで変えられることもあります。洋服は毎日のことなので、自分の気持ちを簡単に上げるのには最適なのです。

どんなときでも、いつも自分が「よし!」と思う格好で出かけることです。

ガラス
なんだか今日は髪の毛ボサボサ
バッグも靴も合っていない
太り気味だし
イケテない・・・
チラッ
と確認したとたんに
気分がブルーに
ありませんか?

★「健康」や「美」にちょっと気を使ってみる

- 野菜だけを食べる日をつくる
- 一カ月に一回、ミニ断食をする
- ジムで、プライベートトレーナーについてもらって運動をする
- ゆっくりとお風呂に入り、たっぷり汗をかきながらミネラルウォーターを飲む
- お風呂のあと、時間をかけて肌（全身）のお手入れをする

本当に小さなことですが、こういうようなことをしただけで、自分がきちんと健康や美を意識して快適な生活をしている「気」になりませんか？

定期的にしていなくてもいいのです。思い立って急にその日だけしたときでも、まるで毎日気を配って繊細に大切に暮らしているような気分になる……気持ちを盛り上げるには、この自己満足感が大切なのです。

「自分の体を自分でコントロールできている」というのは、驚くほど充実感があ

ります。「自分をコントロールできる、コントロールすることは楽しい」と思うと、生活は変わっていきます。

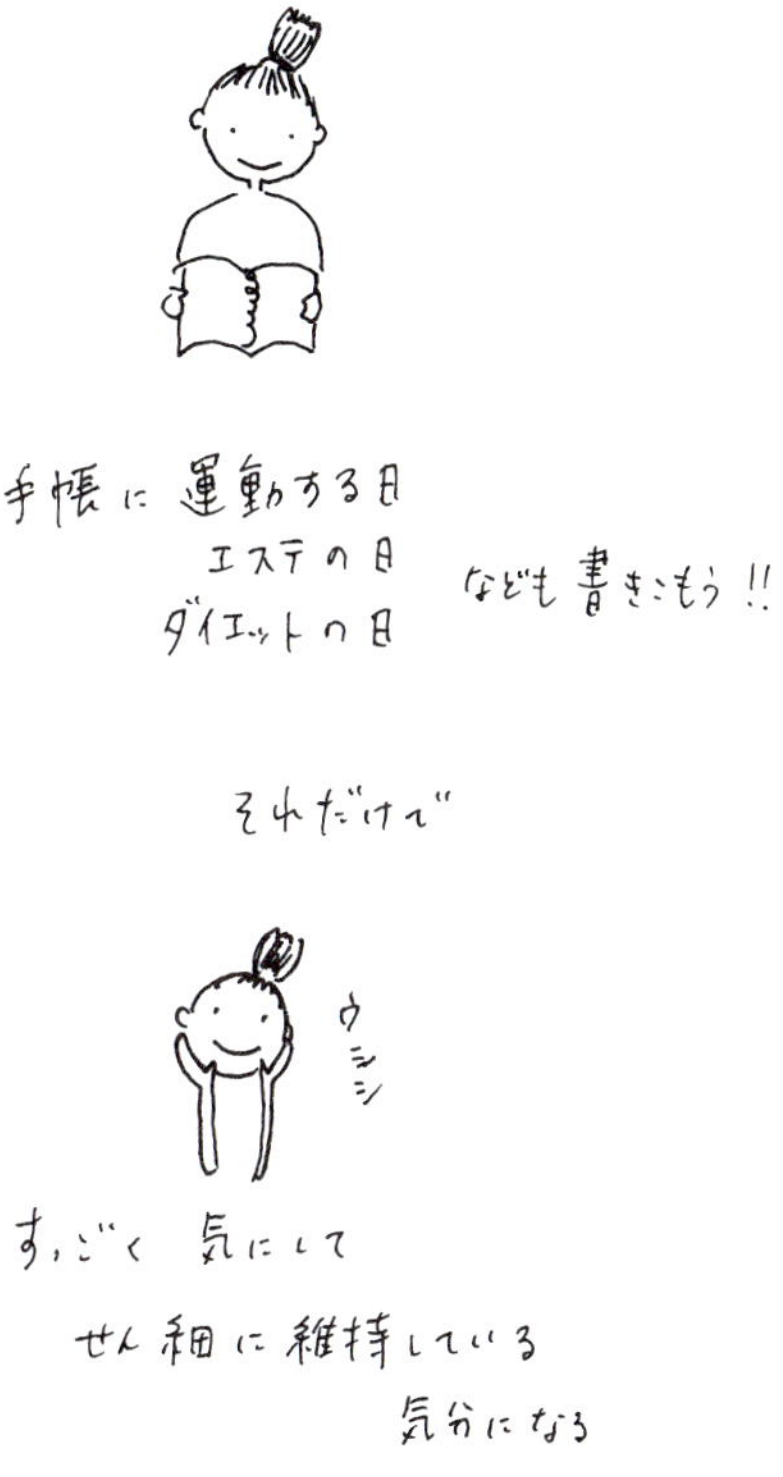
手帳に 運動する日
エステの日
ダイエットの日
なども書きこもう!!
それだけで
ウシシ
すっごく 気にして
せん細に維持している
気分になる

休日は「今日はこういう日にする！」と決める

充実した休日を過ごすと、誰でも次の日からの仕事や日常の変わりない雑事にも新しい気持ちで向き合うことができます。

「充実した休日」というのは、「心が満足する休日」のことです。

「休日にはなにか有意義なことをしなくてはいけない、そうでないと無駄な1日になってしまう」と強迫観念のように思い込んでいる人がたまにいますが、**外に出かけて活動的になることだけが「充実」ではありません。**

たとえば、自宅でゆっくりとダラダラ過ごすことも、充分に有意義な余暇の過ごし方だと私は思います。

ダラダラを「無意味な一日だった」と感じてしまうのは、「今日はゆっくりと休養する日にしよう」と**決めていないから**です。「今日はダラダラしていい日」と決めさえしていれば、予定どおりにそれをできたのですから「無意味な一日」と思うことはないでしょう。ただなんとなく、他にすることがなくて結果的にゴロゴロしていたから「無意味」と感じるのです。

もしかしたら、ゴロゴロしながら見ていたテレビの一言にハッと刺激を受けるかもしれません。

ボーッとお風呂に入っているときに、新しいなにかを思いつくかもしれません。

自分を高める（とされている）セミナー、お勉強会、習い事などに参加することだけが、モチベーションを高めることではないからです。

一日家にいてのんびりする、これを本気で楽しもうと考え始めるとワクワクしてきませんか？　あの本を読もう、あの人にゆっくり電話しよう、あのデリバリーをためしてみよう……たっぷりとリラックスして体を休めて充電されている自分が浮かびます。


やらなくてはいけないことが山積みになっている日でも、「今日は徹底的に雑用をする日にしよう」と決めてみます。

やらなくてはいけないことを片っ端から書き出して、端からひとつずつ片付けると、終わった頃には想像以上にスッキリしています。それだけでモヤモヤした気持ちがなくなって、「この憂鬱の原因は、やらなくてはいけないことをためていたからだったんだ」と気付いたりします。

同じ雑用でも、ただなんとなく仕方ないから片付けていると、「つまらない雑用で休日が終わってしまった」というガッカリの気分になりますが、決めてから取りかかると「今日は最高に能率の良かった一日」に感じるのです。

なにもない休日は、「今日はこういう日にしよう」と決めてみてください。決めるだけで、「ただなんとなく昼になって夜になって……」という感覚がなくなります。

11 「いつかこうしよう」は今日からする

あそこに行きたいけれど、お金ができてからにしよう
これを習いたいけれど、時間ができてからにしよう
これを始めたいけれど、結婚してからにしよう
○○をしたいけれど、××になるまで待とう

というような理由で、長いあいだ先延ばしにしていることはないですか？

それは、どう考えても今はできないことですか？

考えてみると、絶対にできないということはなくて、できない理由を自分でつくっているだけのときがあります。知らないあいだに「楽しみの先送り」をしてしまっているのです。

「○○をしたいけれど、××になってからにしよう」というとき、○○を始めると、××のほうまで引き寄せてくることがあります。

私の友人で「あの家具が欲しいんだけど、いつか引っ越すときまで待っているの」と言っている人がいました。そこで私は言いました。

「そんなに好きなら、今から取り入れればいいんじゃない？」

「たしかに、新しい家になるまで待つ意味ってないわよね」

と彼女はすっかりその気になり、少しずつその家具に取り替え始めました。

するとそれから約1年後、彼女の希望どおりの新しい家に引っ越すことになったのです。引っ越す予定はまったくなかったそうですが、突然引っ越しの話が出てきて「事」が動いたのです。まるで新居の準備をしていたようです。

逆に言うと、彼女が「新しい家＝自分の好きな家具」と決めていたので、家具をそろえたことが新しい家のほうまでセットで引き寄せた、とも言えます。

「こうだといいなあ」と、まるでかなり遠い先の希望のように思っていますが、実は今から始められることがありませんか？

ちょっと動くだけで実現することはたくさんあると思います。そのほうが、生活はずっと楽しくなります。今味わえる楽しい気持ちを先送りすることはありません。

「こういうことをしたくてね。
でも難しいと思うケド。
いつか絶対にやりたいなあ」
「それ…
別に今でも
できるんじゃない!?」

12 運を上げてくれる人とつき合う

★運のいい人、居心地のいい人のそばにいる

運は伝染します。

正確に言えば、運のいい人と一緒にいると、まずその人のものの考え方に影響を受け、さらにその人が発しているオーラや波動などの影響も受けるので、その両方の効果で運が上がり、伝染しているように感じるのです。

会っているだけで良い感情が湧いてくる人のそばに、いつもいるようにしてください。良い感情というのは、

● とにかく好き

- やる気が出る
- いい人だなあと感じる
- 穏やかな気持ちになる
- 刺激を受ける
- 大笑いできる
- また会いたいなあと思う

などです。

これは、あなただけの感覚です。他の人がいくらそう感じていても、あなたがそう感じなければ意味がないので、あなたの基準で決めていいのです。

こういう人のそばにできるだけいること、定期的に会うことで、自分の心がワクワクと楽しくなると、それだけで運が引っ張り上げられます。

★嫌な気分になる人、モノからは離れる

人の悪口ばかり言っている人とずっと話していると、気分が悪くなることはありませんか？　もちろん、生活上でのちょっとした愚痴や不満は誰にでもあるものです。親友や家族に気分転換にちょっと愚痴を言ったからって、それだけで運が下がることはありません。

ここで言っているのは、もっと習慣的に愚痴や不満や悪口を言う人のことです。まるで趣味のように、**口を開けば批判や悪口を言い続けている人たちの輪の中にいると、心がズーンと沈んでくるのを感じます。**

この「心が沈んでくる」というのは、あなたにとって悪い影響を与えているという証拠です。いるだけで楽しくなる空間や人があるように、その逆の効果があるものも必ずあるので、そういうところにはできるだけ近づかないようにすることです。

友人は、会社内で悪口ばかり言い合う同僚の中にいました。

はじめは話を合わせていましたが、だんだん気が滅入るようになり、最後は聞いているだけで気分が悪くなってくることに気がつきました。その人たちがたまっている部屋に入るだけでお腹のあたりが痛くなってくるのです。ところが、会社の帰りにある知人（会社とは関係のない人）の家に行くと、そのモヤモヤした気持ちが一気に晴れるそうです。その人と話しているだけで、スーッと霧が晴れるように解消されます。

彼女にとっては、その知人が「なんだか居心地のいい人」であり、会社の悪口の場は、「離れていたほうがいい」場所になります。

私は特別に敏感な性質ではありませんが、半年ほど前、「この人に会うとなんだかモヤモヤする」と会うたびに感じる人がいました。私の直接の知り合いではなく、ふたりで会うこともなければ、私が直接嫌な思いをしたわけでもありません。それでも、会うと後味の悪さがずっと（数日間）残るのです。

それからしばらく経って、この人がまわりをぎょっとさせる小さな事件を起こしました。私はそれを人から聞いただけでしたが、「ああ、あのモヤモヤの原因はこれだったか……」と、妙に納得したのです。

「この人に会うとモヤモヤする」と感じるのは、相手のモヤモヤしたものがこちらに伝わってくるからかもしれません。

これは、「その人が悪い人である」ということではありません。単に、なんとなく感じる「モヤモヤする、居心地が悪くなる」ということにも意味がある、ということです。


敏感な人の中には、特定の場所に行くと寒気がしたり、嫌ななにかを感じたりする人がいます。その場所に残されている過去の人の「念」や「エネルギー」などをキャッチするのでしょう。そう感じる場所の歴史を調べてみると、「昔、その場所でたしかにそういうことがあった」という事実がわかることもあります。

そこまで敏感ではなくても、あなたが感じる「なんだかモヤモヤする」「気分が悪くなる」というものは、あなたに対して「異質なもの」「違うエネルギー」を出しているのです。

それがなにか**原因を究明する前に、素直に距離を置くこと**です。

13 タイミングをつかむ

小さいことで練習しよう！ ふと思いついたことをやってみる

次のような経験はありませんか？

- 家を出てからなんだか気になって戻ってみたら、窓を閉め忘れていた、アイロンがつけっぱなしだった、必要な物を忘れていた
- 出かけるときに、傘（カメラ、名刺入れ、サングラス……）のことが頭をよぎったけれど、「今日はいらないかな」と思ってそのまま出かけたら、それが必要な場面に出くわして「持ってくればよかった～」という思いをした

「ああ、本当は思い浮かんでいたのよね……」というようなことです。
ふと思い浮かんで、「待てよ?」と迷ったことは、たいていしておいたほうがタイミングの良いことにつながります。

別に、そんなことでタイミングが良くならなくてもいいのです。カメラを忘れたからと言って困り果てることはないし、それで大ミスになってしまうこともありません。なにが言いたいのかというと、「こんな**小さなふと思ったことにも、意味のないことはない**」ということです。

小さなことで「ふと思ったことをやっておく習慣」をつけておくと、大きな「ふと思いついたこと」も、わりと気楽に行動に移せるようになります。

「そのとき」を逃さない！　「パッ」と思ったら「スッ」と動く

傘やカメラなどの小さなことで練習しておくと、どんなことでも思いついたときにすぐ実行できるようになります。

すぐすると効果的なのはその「思いついたとき」こそがタイミングの良いときだからです。

目の前でしていることとは関係ないことが多いので「突然思いついた」と感じますが、タイミングの側にしてみると「今、今がいいよ」と知らせてくれているのです。

- 「あの人、どうしているかな？」と思ったら、すぐに連絡してみる
- 場所や物など、急に浮かんで気になったことはすぐに調べてみる
- 「それ面白そう」と思ったことはすぐに始めてみる

あとでまとめてしよう、時間ができてからにしようと思っていると、あとにな

れば別の用事が入ったり、気持ちが盛り下がっていたり、電話をした相手が外出していたりします。

パッと浮かんだことをためしにすぐやってみると、どうして突然思いついたのか理由がわかります。今したほうがいいから、突然思いついているのです。

これは「どんな予定でもキャンセルして、思いついたことをすぐにしなければダメ」と言っているのではありません。たとえばボーッとしているときに富士山のことが浮かんだからといって、「今から富士山を見に行こう！」としなくてもいいのです。すぐに動くことはできなくても近いうちに行くこととして予定を立てたり、調べてみたりするなど、「ふと思ったこと」をそのまま流さない、無視しないということです。

また「富士山を思いついた」ということを、自分の中で覚えておくことも大事です。すると、あとから富士山に関係のある話がどんどん集まってきて、はじめに思いついたことが意味のないものではなかったことがわかります。

★気楽にやってみよう！　思いついて気が動いたことだけをする

「ふと思いついたことをすぐに実行」と言っても、すべてなんでもかんでも実行したほうがいいのではなく、あくまで「気が動いたこと」だけでいいのです。

ふと思いついて、

- あなたの気が動いた
- どうしても気になって消えない
- 面白そうと感じた

ということだけを**気楽な気持ち**でやることです。

重く考えず気楽にパパッとやってみると、タイミングの良いことがわかります。

日本人はルールやマニュアルをつくるのが好きなので、「どのくらい気が動いたらしたほうがいいのか」とか、「浮かんだことをすべてやらなくてはチャンスを逃す」と思い、それができないときに憂鬱になってしまう人もいるようですが、あくまで**「気楽に無理のない範囲で」が重要**です。

14 効果抜群！　家族と仲良くする

すぐに運をよくするには、家族と仲良くすることです。他のことはなにもしなくても、家族と仲良くするだけで運がよくなる、と言ってもいいくらいです。

あなたのまわりに起こることはみんなつながっているので、ひとつのところの関係をスムーズにいかせることは、あなたが他のところで抱えている問題やかなえたいことをスムーズにいかせるのと同じことなのです。

読者の方々からも、「ためしに家族と仲良くしてみたら、こんなすごいことが起こった」という手紙が数多く寄せられています。

- 気まずくなっていた友達から連絡があり、仲直りができた
- 行きたい部署に異動になった
- 苦手な上司が転勤でいなくなった
- 姑《しゅうとめ》が急に優しくなった

理想の恋人が現れた

など、どれも、その人にとっては「こんなことはなかなか起きない！」というようなことが起こって、悩みが解消し希望が実現しています。

家族と仲良くすることと、自分のプライベートや仕事のことはまったく関係ないように思えるかもしれませんが、そここそがポイントなのです。プラスのパワーをためるというのは、「仕事をうまくいかせたいから仕事でためる」だけではありません。生活すべてに作用するのです。

「家族と仲良くする」というのにも、いろいろな方法があると思います。

「毎日一家《いっか》団欒《だんらん》をしなくてはいけない」というほどのものではありません。

人にはそれぞれの事情があり、長いこと関係が悪くなっている場合もあれば、親のせいで不幸にさせられたような場合もあるかもしれません。

でも、たとえそうだとしても関係ないのです。「ただ家族を喜ばせてあげればいい」と決めるのです。心からお互いを理解し合って、親密に、交流を深めようなんて思わなくていいのです。**基本的に、「普段の自分より、少し～してみる」**

というだけで、充分に効果があります。

- 両親に朝の挨拶をする
- 兄弟姉妹とくだらない話で笑い合う
- いつもより早く帰ってきて子供と遊ぶ
- 食事のときに、話題を提供してみる
- 離れて暮らしている両親に電話する、たまにはプレゼントを贈る
- 心の中で「ありがとう」と思ってみる
- 親、夫、嫁、子供との会話につき合う

このようなことでさえ簡単にできない状況の人もいると思います。

でも実は、**それが厳しい環境にある人ほど、ものすごい効果がある**のです。

その人にとって大変なことというのは、なんでもないことに比べて「プラスのパワー」がたくさんたまります。生活の中でそこが滞っている、流れがつまっているところなのですから、そこさえ解消すればその人に起こることは激変するのです。

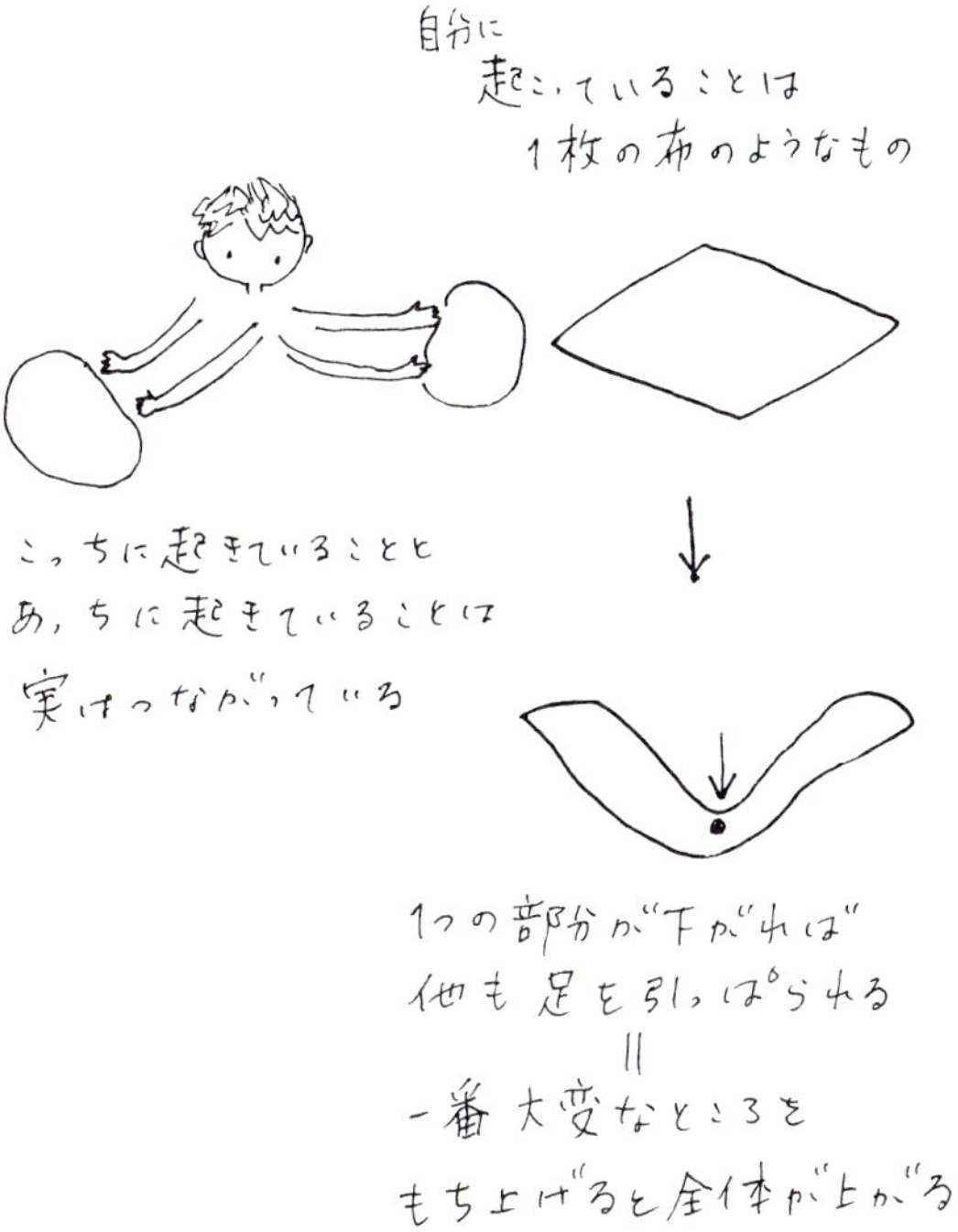
自分に
起こっていることは
1枚の布のようなもの
こっちに起きていることと
あっちに起きていることは
実はつながっている
1つの部分が下がれば
他も足を引っぱられる
||
一番大変なところを
もち上げると全体が上がる

誰でも他人にいい顔をするのは簡単だと思います。その場限りのことだからです。家族にいい顔をするほうが、よっぽど大変です。自分の嫌な部分、「地」が出やすい家族に優しくするのは大変なこと、ということはそれだけプラスのパワーはたまるのです。

そして、実は自分が一番お世話になっているのは親だと思いませんか？　親がいなくては今の命と生活と、「今日」という日もなかったのです。どんな親であっても、自分を生んでくれた人たちです。

自分の基本である身近な家族を大事にすることは、お墓参りに行くのと同じような効果があります。自分のルーツを大事にする、ということだからです。

たとえお墓参りをかかさずしていても、この世での家族と円満でなければ、それは「形」だけなぞっているだけで効果はありません（実際に、運がよくなったことを実感できないと思います）。

とにかく、だまされたと思って「いつもより家族と円満に」してみてください。想像以上に早く効果が表れます。運のいいことがバンバン起こります。

15 「それいい!」と思ったことは素直にためす、堂々と真似をする

運がよくなるコツ、成功するコツ、○○の方法など、「へえ〜、そうなんだぁ」と思ったことは、その気持ちに素直になって、まず自分でためしてみることです。

特に、それを実際にやってうまくいった人から聞いたことは、実例が目の前にいるのですから、素直に耳を傾けることです。

- 本当にそうなるかわからないから
- 真似するのは悔しいから
- すぐに真似するというのはどうも良くない気がするから
- 科学的に証明できていないから

という理由で拒否するのは、もったいないことです。

・「本当にそうなるかわからないから」というのは、ためしてみてからで充分で

す。たとえば体質を変えようとするとき、運動をするのでもビタミン剤を飲むのでも、はじめの1週間で変わることは稀です。でも2週間、3週間と続けていると、必ずなにか変化が見えてきますよね。さらに「本当になにかが変わるかもしれない」と思いながらすれば、思っている以上に変化は早く表れます。

「真似するのは悔しいから」というのは、自分のプライドが邪魔をしているだけです。そんなことで自分の運がよくなるのであれば、大きく見ればやったほうが良いに決まっています。

次に、「すぐに真似するというのはどうも良くない気がするから」についてですが「真似をする」というのはいいことなのです。真似をしたくなるときというのは、相手のなにかを「いいなあ、すごいなあ」と感じているときです。自分もそういうふうになりたいと、**相手を尊敬しているから真似したくなる**のですよね。相手から見ても自分が尊敬されていることになるので、嫌な気持ちになることはありません。**真似されるくらい素晴らしい**、ということです。

「科学的に証明できていないから」というのも、もったいない話です。強運になる方法をはじめ、「目に見えない力」は証明できないことがほとんどです。でもそれは、今の人間の力だからです。昔の人から見たら考えられないことでも、何十年、何百年もあとの私たちから見たら当たり前のこととして認められていることはたくさんありますよね。

はじめに「へえ~……」と自分の触覚が動いたことを、「科学的に証明されていないから」とか「そんなことあるはずがない」という理由だけでブロックしてしまうのは、今の自分の知識（人間の知識）だけを過信していることになります。

科学者は、最終的には目に見えないモノの存在を信じています。盲目的に信じているのではなく、その存在を知ってきちんと認めています。ただ、それを現在の科学では証明できていないから口にしていない、ということが多いのです。歴史上に名を残しているレベルの科学者までいけば、見えないものの存在と科学は表裏一体であることをはっきりと宣言している人がたくさんいます。

理屈では意味不明でもためしにやってみる、そういう小さな行ないがたくさん合わさっているので、運のいい人はますます強運になっていくのです。

16 一日の終わりは幸せな気持ちを感じて眠る

眠る前、ベッドに入って目を閉じて、今日一日の楽しかったこと、幸せだったことを思い出します。

特になかった日は、あなたにとってうれしいことを思い浮かべてみてください。自分の夢や望みのこと、数日後に控えている楽しい予定、好きな人のこと、愛犬のこと、子供のこと、こうなったらうれしいなあという自分の妄想、考えるとニンマリしてくる楽しいことであるならなんでもOKです。

それを考えて、ウフフと幸せな気持ちになったところで、「ああ、よかった。ありがとう」と思いながら眠るのです。

眠りに入る前というのは潜在意識に働きかける直前（夢の世界に入る直前）なので、そのときにイメージしたことは脳によく浸透するように感じます。知らない間《ま》に、「幸せだなあ」というイメージが意識に染み込むので、似たような状況

を引き寄せやすくなるのです。

単純に考えても、「幸せだなあ」と思って眠ったほうが気持ちが良いですよね。その感覚で眠りに入ると、たいてい「いい夢」を見ます。

私は、そのときに書いている本の表紙やタイトルを夢で見て、それをそのまま仕事に使うことがよくあります。「どうすればいいかな」という質問の意識に対して、答えが夢の中でやってくるのです。

どういうときにその夢（情報）を見ることができるか思い出してみると、私がとても幸せな気分で眠りに入ったとき、つまり、楽しいことを思い出して幸せいっぱいであったり、「今日も無事にいい一日だったなあ」と思って眠るとその夢を見やすいのです。気持ちがリラックスしていたり、癒される音楽を聴きながらそのまま寝てしまったりしたときもそうです。

そして、朝起きたときも「いい夢を見たなあ」という幸せな気持ちのまま一日を始めることができるのです。

第3章

イライラすると運は下がる！

日常生活でイライラしないコツ
人間関係がスムーズになるコツ

イライラしない

心を平安に
穏やかに

17 いつも平常心でいる

★小さなことにいちいち過剰反応しない

自分のまわりには、自分の心の状態に合ったことが引き寄せられてくるので、小さなことにいつもイライラしていれば、さらにイライラすることを引き寄せます。

強運な人たちは、めったなことにイライラしません。

もちろんどんな人にも、ムッとしたくなる出来事は起こります。でも強運な人は、それに気付いても、「イライラ」まで自分の気持ちがいってしまうことが少ないのです。

イライラしないようにするには、**どうでもいい小さなことに過剰反応しないよ**

うにすればいいのです。

たとえば公共の場で出会う人、態度の悪い人、ムッとさせられるようなことを見たとき、されたときでも……よく考えてみれば、そんなことはあなたの人生が邪魔をされるほど大きなことではありません。ただの「出来事」です。そのまま通過すれば、大したことにはなりません。

その小さなことが大したことに発展して「あのせいだ！」とイライラしてしまうのは、はじめに過剰反応しすぎるからです。

たとえば、とても態度の横柄なタクシーの運転手さんにあたったとします。

そのたった一言、たったひとつの態度に過剰に反応してムッとすれば、乗っている間じゅうあなたは嫌な気分が続くことになります。

あなたがその気持ちのままでいれば、運転手さんに話しかけられたときには自然と不機嫌な返事をするでしょう。そうすれば相手の態度もますます悪くなるかもしれません。

でも、一番はじめにあなたがまったく気にしなければ（むしろ気付かないくらいでちょうどいいです）嫌な時間にはならないし、そのあとのあなたの感情が邪魔されることもないのです。

誰かの態度が悪くても、並んでいた行列に横入りされたとしても、なにかの集まりで感じの悪い人がいても……**どうでもいいこと**です。いろんな人がいるなあ、ということで、そんなことは気にしなくていいのです。

運のいい人は、この「気にしないでいられる幅」がとても大きいのです。「気にする」というのは、「気」がそっちのほうに持っていかれるということです。どうでもいいことに「気」を持っていかれる必要はないと思いませんか？

小さなことでムッとしそうになったら、「これは自分の時間を割いてまでイライラすることかな？」と考えてみてください。

「自分の人生がひっくり返されるくらい大きなことにだけ反応すればいい」、そう考えると、怒るに値するようなことは、ほとんどないと思います。

★今日の1日を「ゲーム」と思う

日常生活で起こる小さなことにイライラしないようになると、態度の悪い人やムッとする出来事には不思議と出会わなくなります。

自分が「気にしない」から起こっていないように感じるのではなくて、起こる回数が実際に減っていくのです。

あなたの心の状態に合っていることがやってくるので、あなたがいつもイライラしていたからこそ、またイライラさせてくれることが起こっていたのです。

つまり、**ムッとさせられる出来事や人に頻繁にぶつかるのは、自分の中にそれと似たような部分があるからなのです。あなたがイライラしなくなれば、その世界とは縁がなくなるので起こらないようになります。**それまではよくあったのに、不思議なほどなくなっていきます。

私はよく、今日の1日を「これはゲームだ！」と捉えています。

今日出会うすべての人に、明るく穏やかに接することができるかどうか、どうでもいいことにイライラしないでいられるか、のゲームです。

自分をレベルアップさせるための障害物が散らばっていて、それをクリアーしていくような感覚……こう考えると、毎日が面白くなります。

ムッとしそうになったときこそ
アッ そうだった
平常心 平常心
私の人生には影響ない

★公共の場で出会う人で、自分の心の状態をチェックする

イライラしないようになると、自分の精神レベルが上がるので、雰囲気の良い人に出会うようになっていきます。

精神レベルというのは、その人の波動の質の高さであり、心の状態のことです。精神レベルが高い人ほど、変なトラブルに巻き込まれず、運やタイミングは良くなっていきます。また、このレベルによって、まわりに集まる人や起こる出来事も変わっていきます。

先日、私の入会しているスパで、とても雰囲気の良い女性に出会いました。誰にでも「好きなタイプの人（同性）」というのがあると思いますが、その人はまさに「私の好きなタイプ」の女性で、外見の雰囲気や全体のイメージや物腰など、「なんだかいいなあ」と自然に思わせてくれる人でした。こういう人と、スパで出会うのははじめてです。

また、レストランでもとても品のいい家族連れを見かけました。親子三代がと

ても楽しそうに話していて、なんとなく「和」を感じる、見ているだけでホッとする雰囲気にあふれています。

自分の状態がとても良いと、このような「気持ちの良い人たち」と出会います。お店の店員さんでも、こちらの言うことをよく理解してくれる気持ちのいい人にあたります。

だからといって、この人たちと知り合って仲良くなっていくということではありません。単に「今の自分の状態を見せてくれている」ということです。

公共の場で出会う人で、自分の心の状態をチェックすることができるのです。

逆に、自分がイライラツンツンしていたり、大きな態度に出ていたり、卑屈になったりしていると、「嫌な感じの人だなあ」という人と出会います。

公共の場でたまたま出会う出来事や人を観察してみてください。

たまたま出会っているようで、みんなあなたにふさわしい人を引き寄せていることがわかります。

★まわりにいる人は自分の鏡

あなたのまわりにいつもいる人、友人、知人、仕事で関わる人なども、あなたの精神レベルに合った人が集まっています。公共の場でちょっと出会う人でさえそうなのですから、近くにいる人が偶然のはずはありません。

あなたが「毎日つまらないなあ」と思っていれば、同じように「なんにもいいことがないなあ」と思っている人と引き合います。「なんとか得をしよう」と思っていると、「なんとか得をしよう」と思っている人と出会います。

もちろん、ワクワクと明るい気持ちでいれば似たような人が集まってきます。

だから「どうしてこんな嫌な考えを持っている人がそばにいるんだろう」と感じるときは、自分の中に似たようなところがないかを見直してみるチャンスです。自分の姿を見せてくれているだけなので、その人に対して怒ったり、ガックリしたり、暗くなったりするようなことではまったくありません。

「考えてみると、この人に出会った頃の自分は思い違いをしていたなあ」「自分のあの考え方が、これを引き寄せたんだなあ」と思い返してみると、必ず「ああ、原因があるある！」と見つかると思います。

人との出会いは、自分の心の状態とそっくりのものが引き寄せられてくるということを一番身近で感じられるわかりやすい例です。

こう思うと、たとえ嫌な人がいたとしても、「どうしてこんな人に出会ってしまったのだろう」とか「私は人に恵まれていない」とか「まったく腹立たしい」という見方はなくなっていきます。むしろ、「自分に気付かせてくれてありがたい」と思うようになり、人との出会いにイライラすることはなくなっていきます。

18

ムッとしたときは怒った自分をシミュレーションしてみる

ムッとしたとき、カッとして怒りたくなったとき、怒った自分をシミュレーションしてみてください。

数カ月前のこと、買い物をして、後日、注文したものとまったく違うものが大量に届けられたことがありました。

お店の人に、サイズや個数を何度も確認して、「その荷物が届く日に合わせて他の予定を組んでいるので、絶対に遅れないでほしい」ということを何度もお願いしておいたのに……、そのお店の手違いやいい加減な処理に腹立たしくなりました。そこで、担当の人に電話をして文句を言うところを想像してみました。めいっぱい感情的にぶつけたところを想像したのです。

すると、それを本当に言ってしまったとしたら、とても後味が悪くなることに気付きました。感情的になっていると、つい余計なことまで言ってしまうものです。

その状況で本当に必要なことは、文句を言うことではなくて、注文どおりの物をできるだけ早く届けてもらうことと、大量の間違え品を引き取りに来てもらうことでした。感情的にぶつけてみても早く解決するわけではないし、時間がかかるだけなのです。

実際はシミュレーションしたお陰で気持ちはおさまっていたので、淡々と状況を説明することができ、予定より少し遅れただけで本来の商品を届けてもらうことができました。


感情的に文句を言っても解決しないとわかっている、それでもひと言言わないと気持ちがおさまらない、ということはあると思います。そういうときは、思いっきり怒っている自分をシミュレーションしてみてください。きっと後味が悪くなることに気付くと思います。そして、「文句を言いたい気持ち」は想像の世界で解消されるので、本番では淡々と事実だけを伝えることができます。

カッとしそうになったときこそ、「平常心」です。

19 嫌な人、苦手な人には無理して関わらない

★素直に距離を置く

誰にでも苦手な人はいます。人としてはもちろん良い人、だけどどうも苦手、という人は誰にでもいるものです。相手や自分のどちらかが悪い、ということではありません。

「特に理由はないし、悪い人でもないのになんだか違う」という人は、あなたと「目に見えないなにか」が違う人です。簡単に言うと、「合わない」のです。

そういう人とも「なんとか心を通わせて仲良くなろう」と頑張る必要はありません。あなたの自然でいいのです。

あなたの本音はあなたにとっての情報なので、「なんだか違うな」と思ったら、それに正直になって、素直に距離を置けばいいことなのです。

距離を置くというのは、寂しいことでもなければ、冷たくすることでもありません。心の中で一線を引くこと、自分の自然のままでいいんだ、と思うことです。「すべての人と仲良く」と無理をしてつき合って、会うたびに居心地の悪い感覚になるほうが、お互いにとってよっぽどマイナスです。

強運な人は、この自分の本音に正直です。

まわりの人に同意してもらう必要もありません。あなたにとってはそういう存在でも、他の人にとってはそうではないかもしれないからです。他の人の意見ではなく、あなたがそう感じるということは、あなたにとっては今はマイナスの影響を受ける存在なのでしょう。そういう人やモノからは、きちんと距離を置くことも、強運になるコツです。

すべての人と仲良くしようと頑張らなくていいと思うと、気楽になりませんか？

本当は、やってくる人や起こる出来事は自分になにかを知らせてくれているので、嫌がらずに受け止めるほうがいい、ということもあります。

でも、それがまだできないときは、素直に距離を置くこともひとつの方法なのです。とにかく、無駄にイライラする機会をつくらないようにすることです。

★相手を変えようとしない

前項のように、自分が選んで距離を置くことができる場合はいいですが、苦手な人と同じ環境でつき合っていかなくてはいけないこともあります。

そういうときは、**心の中で距離を置き、いちいち過剰反応しないこと**です。

ある会社に、神経質なほど潔癖症の人（Aさん）がいました。

自分だけではなく他人の机が汚いことにも我慢ができず、いちいち口を出してくる人でした。机はほんの一例で、Aさんの言い方を聞いていると、まるで自分がとてもだらしなくて怠惰であるような気分にさせられるので、社内の人はみんな苦手に思っていたそうです。

そんな中でひとりだけ、Aさんにまったく影響を受けていない人（Bさん）がいました。

Bさんは Aさんになにかを言われると、「はい、はい、そうですね」とニコニコしながら表面だけで流すことができるのです。上っ面で接して馬鹿にしているのではなく、言われたことを本当に「気にしていない」のです。

Bさんは、Aさんに対してはじめから「この人は普通の人より、片付けるのが好きな人なんだ」と思って接しているといいます。

「この人はこういうことが好きな人なんだ」という「好き嫌いの一種」として眺めると、それほど大したことには感じません。

さらに、好き嫌いに「良い悪い」はないので、それを変えてもらおうとする必要もなくなります。相手を変えようとするから、変わってくれなくてイライラするのです。

「変えてもらおう、やめてもらおう」としなければ腹も立たないし、自分には関係のないことになります。「イチゴが好きな人に、私は嫌いだからあなたも嫌いになって」と言って、そうならないからイライラするようなものです。

「自分も相手に合わせなくてはいけない」と思うと気になりますが、はじめから「この人はそういう人だ」という、ひとつの特徴と思ってあげればいいのです。

★わからせようとしなくていい

「わかっていないなあ」という人がいるとき、相手に無理にわからせようとしてしまうときはありませんか？　大事な人、友人、家族など、言ってあげたほうがためになる場合は別ですが、それ以外の人に対してはそのままにしておくことです。これも「気にしない」のです。「わかっていないなあ」と思ってイライラすること自体、こっちの器が小さいなあと思えば気にならなくなります。

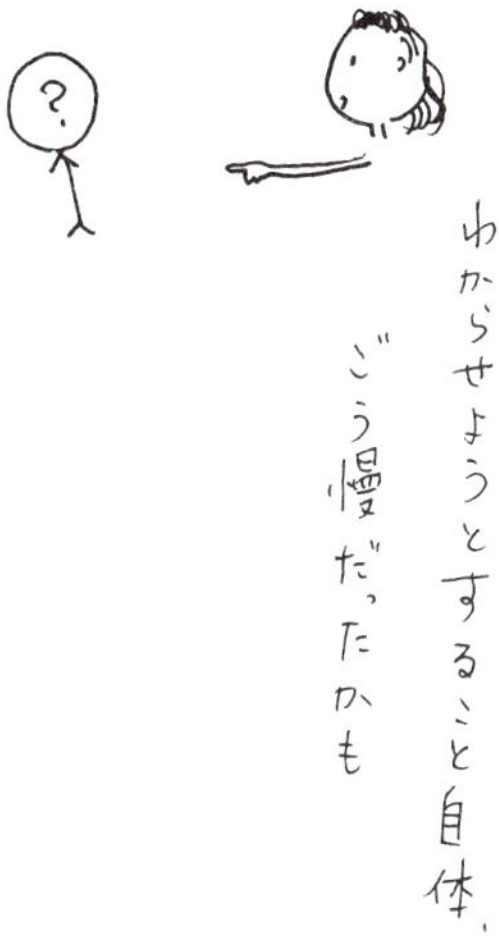
?
わからせようとすること自体、
ごう慢だったかも

★とにかく相手を喜ばせる

誰からも評判が悪く、あなたから見ても「嫌な人だなあ」という人と社会でつき合っていかなければならないとき、こういうときこそ相手を喜ばせてあげることです。

お世辞を言うこととは違います。また、無理に褒めることでもありません。

よく「相手のいいところを1箇所でも見つけて褒める」というようなことが言われる場合がありますが、これも、**本音でそう思っていないことは相手に伝わります。**

小手先のテクニックではなく、本心で相手を喜ばせてあげるのです。

考えてみれば、あなたが嫌だと思っているその人にも大事な家族がいて、その人のことを全面的に信頼している子供がいたり、誰かを好きになってみたり、自分と同じようにいろいろな試行錯誤があって生活しているわけです。はじめからあなたに嫌な思いをさせてやろう、という本当の「悪人」はめったにいません。

相手の立場に立ったらどんなことを言われたらうれしいのか、どうせ喜ばせてあげるなら、本当に相手の立場になって言ってあげることです。

人は、ほめられると、その人の長所が出てきて、印象がガラリと変わることがあります。**あなたのことをいつも褒めてくれる人には、自分のいいところをいつも見せようとしませんか？**

ですから、相手を喜ばせようとしていると、相手の長所が見えてきて「実は思っていたより嫌な人でもないなあ」ということに気付くこともあります。そして相手も、あなたと接しているときだけ人格が変わったように、良くなっていくのです。だんだんと、あなたにとっては「嫌な人」ではなくなっていくことになります。

だから、**他人を喜ばせることは、結果的に自分のため**なのです。

本当に嫌だと思っている人とつき合わなくてはいけないときこそ、この効果を実験するチャンスです。

★相手の一言を深読みしない

自分がポロッと言った言葉に、相手がすごく反応して喜ぶときがあります。そこを褒められることが、その人にとってはなによりうれしかった、というときです。

逆の場合もあるでしょう。そんな深い意味もなく言ったことを、変に悪く取られた、という場合です。「そんな意味じゃなかったんだけどな」と、相手の反応に驚いてしまうかもしれません。

言葉の受け止め方は、100人いたら100通りです。たったひとつの表現でも、相手があなたの期待しているとおりに受け止めてくれるとは限りません。

深く自分を理解してくれている人、親友、家族や身内の人でさえ、きちんと説明しなければ、誤解を生むことはたくさんあります。

人の価値観は様々なので、あなたが気軽に言ったことに、「失礼な！」と怒ってしまう人もいる、ということです。

ということは逆から考えると、**誰かに言われた一言でガックリしたり、自信を**

なくしたりする必要はまったくないということです。自分が深読みをしているだけで相手にはそんなつもりはない、ということがたくさんあるからです。

Hさんは、「あなたは自信があるから大丈夫よ」とSさんに言われ、「私ってそんなに自信家に見えるのかしら」と気にしていました。

でもこれを言ったSさんは、「自分はいつも自信がなくて、もっと強い意志を持ちたい」と思っていたので、「Hさんのようになりたい」という意味でこれを言ったのです。**相手の言葉をそのまま受け止めていれば、変に憂鬱になることもなかったのです。**

「私はこう思われているのかもしれない。きっとそうだ。だからあんなことを言われたんだわ」「そんなこと言っているけれど、裏には違う意味もあるかもしれない」というのは、ただの想像です。それで憂鬱になっているのは、自分の妄想で暗くなっているだけです。

相手の言葉を勘ぐらないこと、そのまま受け取るようになると、すごく楽になります。

見返りがないことを気にしない

「これだけしてあげたのに、なんのお礼もない」とか「恩をわかっていない」ということを気にすると、自分が苦しくなります。

感謝されるためにそれをしたわけではないですよね？　感謝されないことに腹を立てるのであれば、はじめからしなければいいのです。

本当に「そうしてあげたい」と思ってしたことは、もし相手がそれになんの反応もなくても、まったく気にならないと思います。

「これだけしてあげたのに!!」
は、結局自分のことを
認めてほしいだけ

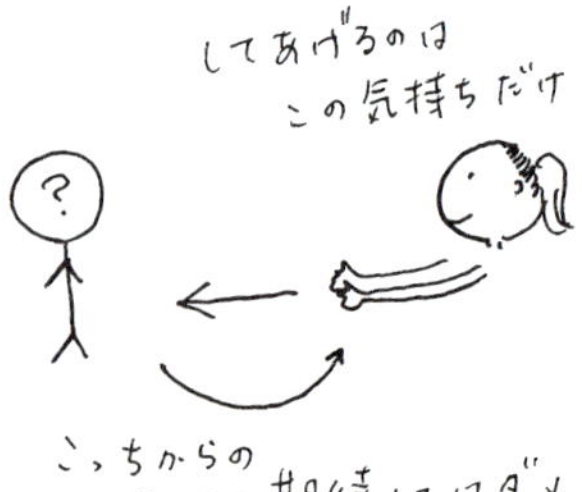
してあげるのは
この気持ちだけ
？
こっちからの
バックを期待してはダメ

20 他人の幸せを喜ぶ——自分にも起こる前ぶれである

あなたから見て「うらやましいなあ、自分もあんなふうになりたい」と思う人がまわりにたくさんいるのは、とてもラッキーなことです。

「あの人はあんなに幸せな環境なのに、どうして私は……」と思う人がいますが、それはむしろ逆なのです。「あなたもそのうらやましい世界と近いところにいる」ということです。あなたが「その世界」とまったく縁がなければ、そんなうれしいことが起こる知人すら、まわりにはやってきません。

たとえば、本当に心が豊かでいつも楽しそうな、あなたから見て「この人はすごい人だな」という人が、口汚くののしったりいつも文句を言ったり、すぐにまわりに嫉妬したりするような人と親友である、ということはまずありませんよね。知り合いであったとしても、仲良く一緒にいることはないと思います。世界が違うからです。

「世界が違う」という言い方をすると、すぐに経済的なことを考える人がいるようですが、ここで言う「世界」とは心の状態や考え方が見合っているか、という意味です。どんなに似たような経済レベルであっても、心の状態が違う世界の人同士は、深いつき合いにはなりません。

ですから、**ずっと自分の近くにいる人というのは、すべてを含めて自分に縁のある人ということになり、その人たちに起こっていることは、自分に起こっているのと同じことになるのです。**

知人が仕事で成功したら自分も仕事で評価されることが起こった、友人が結婚することになったら自分も決まった、というような連鎖反応はよく起こります。「幸運にあやかる」という言葉がありますが、まわりの人の状況は、あなたの少し先の未来を示している場合があるのです。

ですから、身近な人のうれしい状況を一緒になって喜んでいると、自分にも似たようなことがやってきます。一緒に喜んであげることが「えらい」とか「素晴らしい」とかいう話の前に、そのほうがあなたのためになるのです。

それをつまらない嫉妬や感情で否定していれば、**あなたに「いいこと」が起こることも否定していることにつながります。**

身近な人に、不幸なことや嫌なことが起こったときには「私にもああいうことが起こるかもしれない、そうなったらどうしよう」と思うのに、どうして「いいこと」が起こったときにも同じように考えられないのでしょうか？

「いいこと」のときこそ、「私もそうなるかもしれない」と思えばいいのです。

でもたいていは、悪いことが起こったときだけ「私もそうなったらどうしよう」と思い、いいことのときには「いいなあ、あの人ばかり」と切り離して考えるようです。

まわりの人にうらやましいことが起こったら、「よし、自分にも近づいてきた」と思ってください。そういう人のそばにいると、あなたにも「うらやましいこと」が次々と引き寄せられてきます。

21 他人の評価や噂で人を判断しない

人に対しての感じ方も、人によって様々です。

「本人に会ってみたら、まわりから聞いていた話とはまったく違った」というのは、良くも悪くもあることです。

会う前に聞いていた感想は、あくまで「その人の感想」であって、その人のフィルターがかけられています。他の100人がそう思っても、あなたはそう思わないかもしれません。

たとえば、Kさんについて良くない話をたくさん聞いていても、私と話しているときにはそんなことはまったく感じられない、という場合があります。

それは私が気にしていないだけではなく、実際にKさんの良くない部分が私と話しているときには出てきていないからです。私が「Kさんの良い部分とだけつき合うことができている」とも言えます。

悪い部分がひとつもない完璧な人はいないわけですから、あなたと向き合っているときのKさんが、あなたにとってはすべてだと思いませんか？

あなたが直接接しているときにそれを感じないのであれば、それはないことと同じです。他の誰かの感想で、わざわざその人のマイナスの面に目を向ける必要があるでしょうか？

いつも、自分が直《じか》に接して感じたことが、自分にとっての答えです。

その「自分の感覚」を基準にすると、判断に揺れがなくなるので迷わなくなります。

また、自分にとって本当に必要な人や居心地のいい人に出会うようになります。

逆に言うと!!

あなたの友人や知人で、

あなたのことを、直接話して感じるもの以外のこと、

(うわさや、他人の話)で判断したり

決めつける人は、必要ない人

22 「許せない」という気持ちを解放する方法

誰かのことを憎んでいたり、恨みを晴らしてやろう、というような思いがあるとき、一番苦しいのは自分です。ずっとそのことを考え続けなければならないからです。

「もしその恨む気持ちが全部なくなったら……」と想像すると、それだけでとっても楽になりませんか？

とは言っても、「相手のことを許す」というのは、状況によってなかなかできないことかもしれません。今の段階で「許しましょう」と言われても、それまでに起こったことを考えると「状況的にできない」という場合もたくさんあるでしょう。

「許せない」という考えを手放すことができないのは、「相手も同じような目に遭ってほしい」という思いが根底にあるからだと思います。自分が相手によって嫌な思いをさせられた、理不尽な目に遭った、だから同じことを……という「仕返し」の思いです。

でも**大丈夫です。あなたが受けたことと似たようなこと（似ていなくても、本人が考えさせられること）が、いつか必ず相手にも起こります。**

これはなぐさめるために言っているのではなく、この世はそういう仕組みになっているからです。まったく同じ種類のことで現れなくても、別のことに形を変えて、必ずやってきます。

どう考えても相手がひどい人であったり、人間として誠実ではない人、悪者のような人だったとしたら、余計に大丈夫です。あなたが仕返しの役をしなくても、他の出来事で返っていきます。あなたが考えようと考えまいとそうなるので、そのことを考え続けるのをやめて大丈夫なのです。蒔《ま》いた種は、良い種も悪い種も必ず本人が刈るようになっています。

「許せない」という思いを解放すると、とっても楽になりますよ。

第4章

嫌なことが続くときはこう考えよう

今の運気を
ガラッと変えたいときのコツ

流れを変えたい!!

な…なんか
悪い流れにはまってる

23 心配なことほど考えない

★憂鬱《ゆううつ》の原因を整理する

「なんだか憂鬱、モヤモヤする、気が晴れない」というようなとき、その気持ちのまま他のことに取りかかると、その関係ないことにまで悪い影響を与えます。目には見えなくても、その沈んだ波動を出し続けているからです。

ひとつの気持ちは次のことに持ち越さないようにひとつひとつリセットすること、別のことに向かうときはいつも新しい状態で向き合うこと、これは運をよくするときに大事なことです。

なにが原因でモヤモヤしているのか、心の中を探ってみてください。ジッと考えてみると、「これがなくなればモヤモヤしない」ということがきっとあるはずです。

それを、**今考えれば解決できるものか、考えても解決しないことか整理します。**

解決できるものというのは、自分が動けばなんとかなる場合のことです。面倒なことでも、嫌なトラブル処理でも、今動けることがあるならば必ずいつか終わるので憂鬱になることはありませんよね。

次に、今の自分にはなにもできることがない、というモヤモヤです。

- あんなことしなければよかった、言わなければよかった
- どうして自分はこうなんだろう
- また失敗してしまった

過去のことは、思い出しても解決しません。原因がはっきりとわかっているのであれば、次からしないようにすればいいことです。今さらそれを一日中考えていても、過去が変わるわけではありません。

- あれはうまくいくだろうか？
- いつになったら解決するのかしら？
- こうなってしまったらどうしよう？

というような未来のことも、今考えても結果はわかりません。

先のわからないことを考えているとき、人間はほうっておくとどんどん悪いほうへ考えていくものです。もともと楽しみなことを考えるなら明るくイメージすることができますが、スタートが「心配事」の場合ははじめから暗いので、どんどん悪く考え始めます。まだそうなると決まったわけでもないのに、たくましい想像力で、勝手にイメージをするのです。

でも、その悪いイメージはただの「予想」です。自分の勝手な予想で不安になったり憂鬱になったりしているのです。

ということは、あなたが**それについて考えるのをやめれば、憂鬱なこともなくなります。**自分の考えることは自分で決められるわけですから、憂鬱になりたくなかったら、考えるのをやめることなのです。

★望まないことはイメージしない

運よく暮らすには、とにかく「望まないことはイメージしない、考えない」ことです。あなたが意識を集中させているものだけが引き寄せられてくるので、「アレだけは嫌だ、そうなりたくない」ということは、その嫌なことを考えて引き寄せていることと同じなのです。

先のわからないなにかを心配しているとき、あなたの中には「そうなってほしくない」という悪いイメージが、リアルに浮かんでいると思います。考えれば考えるほど細かいところまで見えてくるでしょう。

ということは、「そうなりたくない」と思っていながら、「そうなる」のをイメージしていることになります。しかもそのイメージはとても鮮やかにはっきりしているので余計に現実になりやすいのです。「心配していることのほうが現実になりやすい」と感じるのはそのためです。

ですから、**心配なことほど、考えないほうがうまくいく**のです。

運のいい人は、嫌なことはまったく考えないし、過去に起きた嫌なこともあきれるほど簡単に忘れてしまう人が多いですが、それはいい加減なのではなく、とても理にかなっている方法なのです。**過去のことも、現在のことも、考えた瞬間に憂鬱な気持ちになることは考えなくていい**のです。

「解決したいから、良いほうへいってほしいからこそ心配する」という人は多いと思いますが、心配して明るい気持ちになる人はいません。

これは人に対しても同じです。「〇〇のためを思って」という言葉にすりかえて一生懸命心配している人がいますが、「ただ心配する」というのはマイナスのイメージをつくっているだけなので、本人にとってはむしろマイナスなのです。

本当に相手を好転させてあげたいと思ったら、相手が望んでいること、こうなったらいいだろうなというイメージを代わりに（または一緒に）持ってあげることです。そして、「このままいったらこうなってしまう、大丈夫だろうか」というような、望まないイメージは持たないことなのです。

とにかく、考えて憂鬱になることは考えなくていい……こんな楽な方法はないと思います。

暗くなることを
わざわざ考える必要がある!?
考えた方が　解決すると思ってない!?

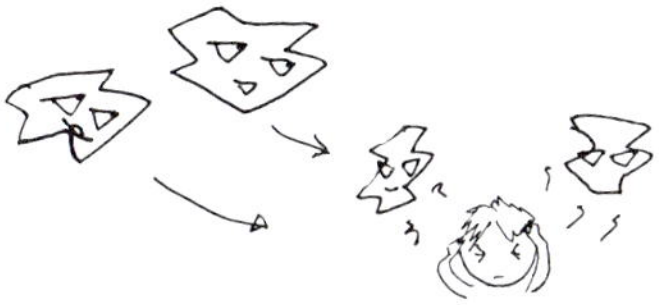

考えない方が
楽だった♪

24 プラスのパワーをためる

心配する（＝考える）のをやめて、なにもしないでいるのは不安だと思います。ほうっておくと、またいつもの自分の癖、「こうなってしまったらどうしよう。本当にうまくいくかしら」という思考のサイクルにはまってしまうからです。

また、人間は、実際に動くことがあるほうが気がまぎれますよね。

このときに効果的なのが、プラスのパワーをためることです。

これは、一般的に言う「徳を積む」とか「良い行ないをする」というようなものと同じことです。


その人の中にどれだけプラスのパワーがたまっているかで、まわりに起こる物事が決まってきます。

プラスのパワーがたくさんたまっている人には、いざというときにタイミングの良いことが起こったり、一般的に言う「運のいいこと」が続いて起こります。

自分が望んでいるときに最高のタイミングでなにかが起こったり、いざというときに思わぬ助けがあったりするのは、その人が日頃プラスのパワーをどれだけためているかによって決まるのです。

すごいタイミングや縁でなにかがうまくいった人に、「日頃の行ないがいいからね」とか「徳を積んでいるからね」と言って納得することがよくありますが、まさにそのとおりなのです。

運のいい人は、常にプラスのパワーがたまる言動を知らないあいだにしているので、いつもタイミングのいいことが起こるサイクルになっています。

プラスのパワーをためる初級的な言動には次のようなものがあります。

- 家族をはじめ、まわりの人に笑顔で挨拶をする
- どうでもいいことにイライラしないで淡々と流す

- 小さな文句や愚痴を言わない
- いつもより、少し友人を思いやる
- いつもより、少しまわりを温かい目で眺める
- 生きていて幸せだなあと思う
- 目の前のことを一生懸命する
- 部屋を掃除する

など、今のあなたが感じる「最近していない、ちょっといいこと」で充分にプラスのパワーはたまります。頑張ってするような大変なことではなく、あくまで今の自分にできる「ちょっとしたこと」で、効果があります。それぞれの生活の中で方法は無数にあると思います。

心配事を考えないようにする代わりに、このような具体的なプラスのパワーを集める行ないをしていると、しばらく経ったときに必ず「いいこと」が起こります。最初は、すごく小さな「ラッキー！」から始まるかもしれませんが、だんだん

と大きなことに変わっていくはずです。人によって「ラッキー！」と感じることや程度は違いますが、あなたにとって「ああ、運がいいなあ」と感じることが起こるようになるので、すぐにわかります。早い人だとほんの数日のこともあるのです。

プラスのパワーをためているうちに、あなたが心配していたことや抱えていた問題そのものにもラッキーなことが起こって、解決してしまうこともよくあります。「こんなことが起こるなんて思ってもいなかった」というような展開があって、あなたが必死にならなくても解決してくれるのです。

仕事の企画が通るかどうかを心配しているDさんがいました。

Dさんにできることは「結果を待つ」しかないのですが、なにをしていても気になって心配してしまい、「もしうまくいかなかったら……」と考えると不安になり、業績が評価されずに異動になってしまうことまで想像していました。

もともと心配性だった上に、その企画に自分の評価と今後がかかっていたので余計に心配だったのでしょう。

こういうときこそ、プラスのパワーを実験してみるチャンスです。

Dさんは、ためしに心配事を頭から出して「いっさい考えない！」と決め、代わりにプラスのパワーをためる言動を始めました。

まず、今まで一度も掃除をしたことがなかった会社の机を毎日拭き、先輩や同僚に笑顔で挨拶をするようにしました。次に、**「考えてみれば、自分に仕事をまかせてくれているだけでありがたいことだった」**と思い出し、この会社で働いている自分の環境にしみじみと感謝したのです。これをすれば本当になにかが変わるのか、実験のつもりでしていたと言います。

数週間後、「Dさんの企画が採用になった」という連絡が入りました。

あとから先方の会社のHさんに聞いたことですが、Dさんの企画についてHさんが考えていたとき、たまたま外でHさんの尊敬する経営者にバッタリ出会いました。そこでDさんの企画に関係のある話で盛り上がり、それがきっかけでHさんの気持ちが動きDさんの企画が採用されることになったそうです。

Dさんにとっては、その顔も知らない経営者がタイミング良くHさんのところに現れてくれて、そこで自分の企画に有利になるような話をしてくれたお陰、ということになります。

もちろん、その経営者はその企画のことなど知らないし、たまたまその話をしただけです。この「たまたま」がDさんにとっては、まさにタイミングのいい運のいいことにつながったのです。

一見、なんの関係もないところでしていたプラスのパワーの積み重ねが、いざというときの運の良さをつくり出すのです。

タイミングのいいこと、運のいいことを引き寄せるには、そのことについて、

① 心配しないこと（＝考えても解決しないことは考えない）

② プラスのパワーをためること

から始まるのです。

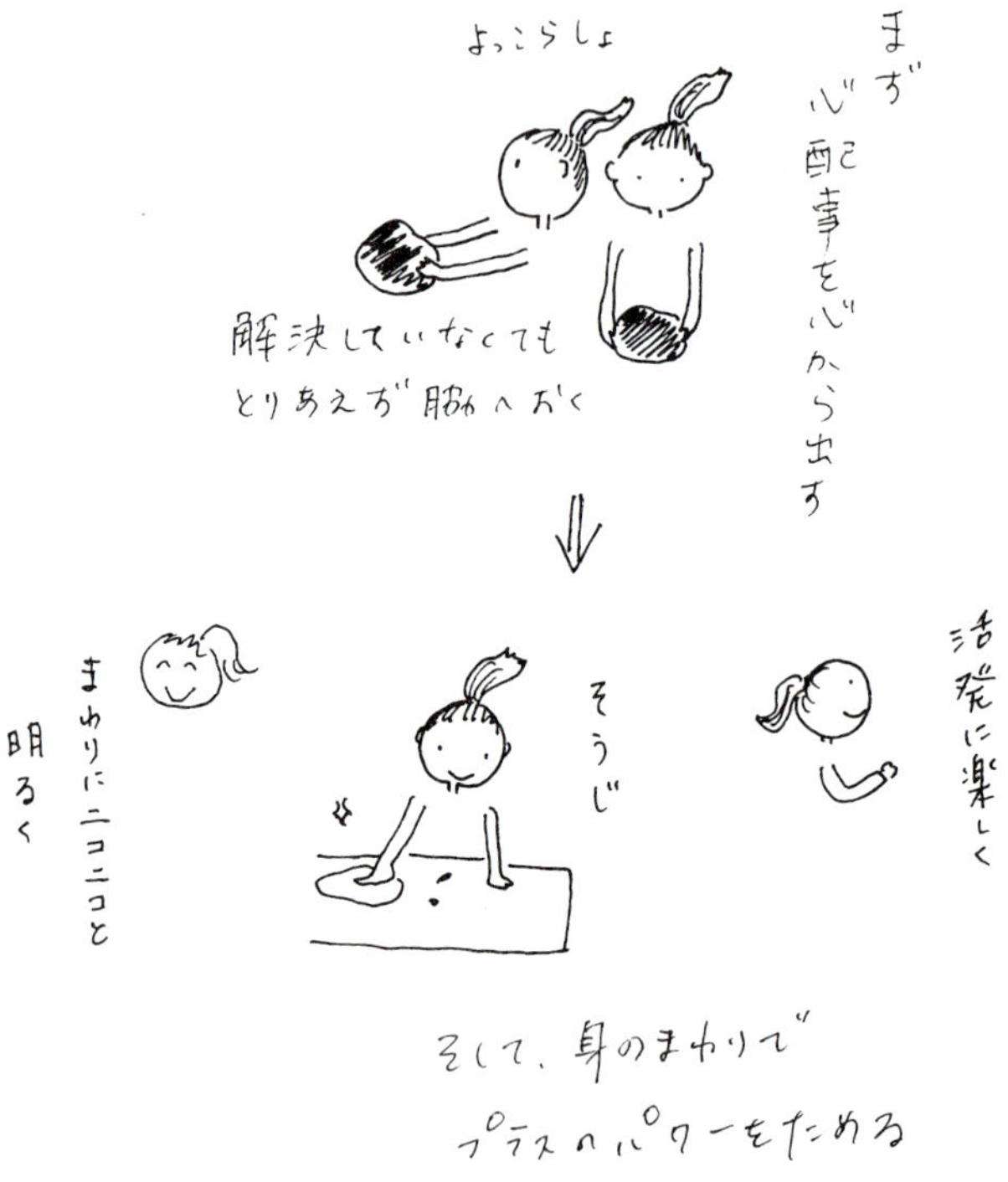
まず心配事を心から出す
よっこらしょ
解決していなくても
とりあえず脇へおく
活発に楽しく
そうじ
まわりにニコニコと
明るく
そして、身のまわりで
プラスのパワーをためる

25 嫌な出来事から「メッセージ」を受け取る

大きな嫌なことほど「なにか」を知らせている

あなたのまわりに起こることは、すべて、あなたになにかのメッセージを伝えようとしています。一見あなたにとって嫌なことや、悪いことほどそうです。

たとえば、子供が性質《たち》の悪いいたずらを続けてしたとき、本当にただの「子供のいたずら」の場合もあれば、母親にかまってもらいたかったり、愛情が足りないことの裏返しの場合もあります。なにか伝えたいことがあるのに子供の態度をただ怒るだけで終わらせたら、同じようなことがまた起こりますよね。

これと同じように、表面で起きていることの裏には、みんなメッセージが隠れているのです。特に、似たような嫌なことが続けて起こるときは、それを強く「お知らせ」しています。

簡単な例ですが、たとえば、

- 財布や貴重品を続けてなくした
　→注意が足りない、モノを大切にしていない
- 態度の悪さを他人に注意されたり、駐車禁止やスピード違反の切符などを続けて切られた
　→世間をなめている、調子に乗っている
- お店の店員さんなど、公共の場で会う人が横柄だった
　→自分も他人に似たようなことをしている
- お金の関係で嫌な思いをした
　→お金についての考え方を見直したほうがいい
　→お金で済むことでよかった、と思ったほうがいい
- 人間関係でトラブルが起きた
　→人への考え方、態度の見直しをしたほうがいい

なにかを知らせるために起きていることなので、まわりのせいにしたり、怒っ

たり、必要以上に落ち込むこともありません。「あ、これのお知らせだな」と気付いて次に進めばいいだけのことです。

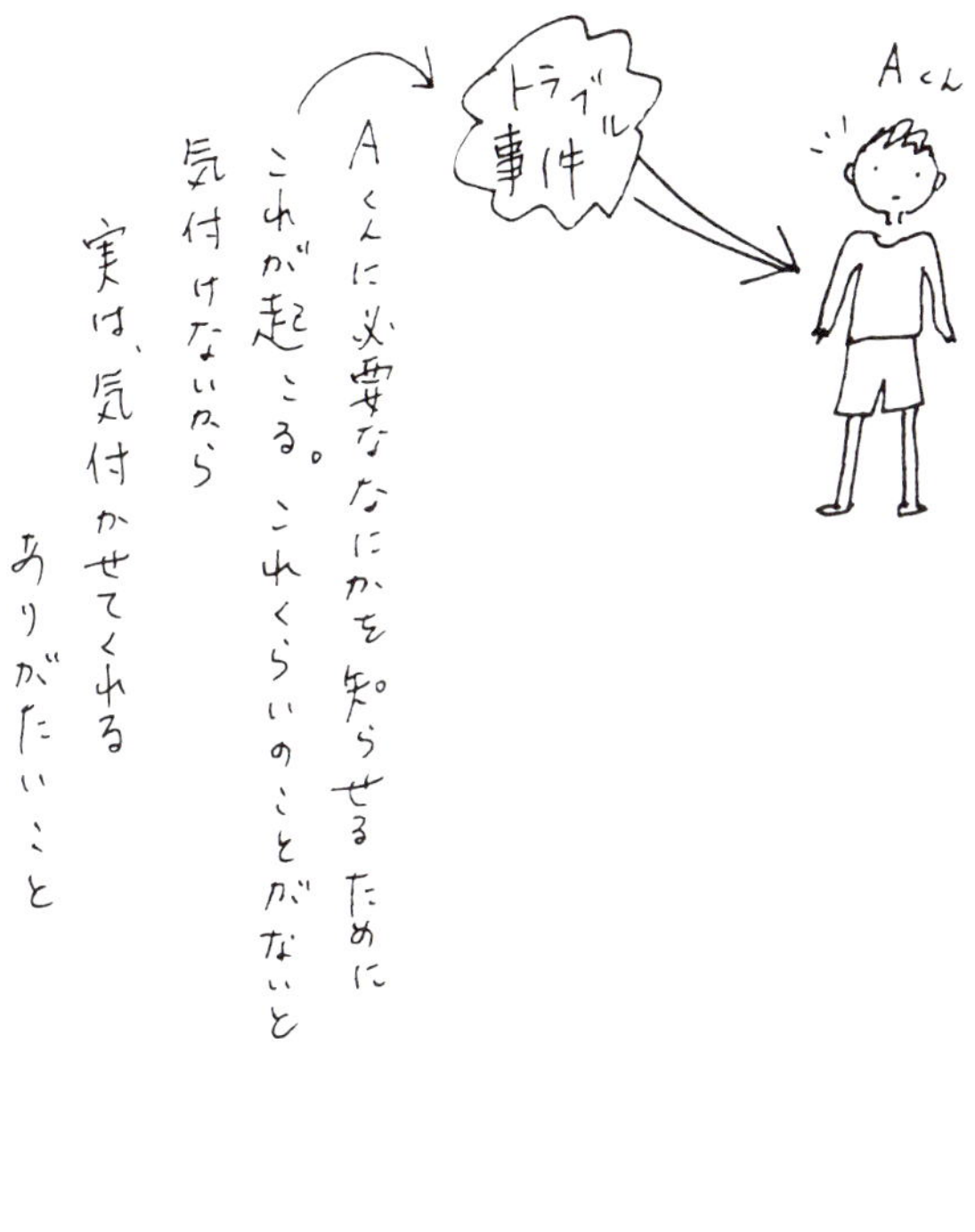
Aくん
トラブル
事件
Aくんに必要ななにかを知らせるために
これが起こる。これくらいのことがないと
気付けないなら
実は、気付かせてくれる
ありがたいこと

★なにを気付かせようとしているかを考える

小さなことよりも大きな嫌なこと、タイミングの悪いこと、なんだかうまくいかないなあと感じることが続けて起きるときこそ、あなたに大きななにかをお知らせしています。「今のままだと、うまくいかなくなっているよ」ということなのです。

起きている事柄はただの外側の「形」で、実際に知らせようとしていることは自分の言動や中身、考え方です。

こういうときは、最近の自分の言動を振り返ってみる必要があります。

- 仕事やプライベートを含め、なにか考え違いをしていることはないか
- 良心が痛むようなこと、人として間違ったことをしようとしていないか
- 自分の本音に嘘をついて進もうとしていることがないか
- まわりを押しきって無理強いしようとしていることがないか

- 調子に乗っていないか
- 家族を含むまわりの人への態度が横柄になっていないか
- マイナスの言葉ばかり使い、不満いっぱいで過ごしていないか
- 「今」に感謝が足りなくなっていないか

このようなことが心のどこかにあったまま進んでいると、それを知らせるために、一見悪いこと、トラブル、突然巻き込まれるようななにかが起こるのです。と書くと恐ろしく感じますが、このまま進んでいたらもっと大きなトラブルが起こっていたかもしれないので、今の段階で気付いてよかったことになります。

大事《おおごと》になる前に、「ちょっとこのへんで見直してみたほうがいいですよ」と教えてくれたありがたい出来事なので、ガックリしたり憂鬱になることではありません。

★「早いうちに気付いてよかった」と思う

起きたことの裏に隠れている「お知らせ」に気付くと、悪いことが起こる連鎖は止まります。そこで気付いたことを忘れない限り、二度と起こらないようになります。

起きてすぐに気付くことができれば早く止まりますが、いつまでも他人やまわりのせいなどにして怒ったり悲しんだりしていると、ますます嫌なこと、しかもだんだんと大きな苦しいことに形を変えてやってきます。

たとえば、なにかのトラブルが起こり、お金を損したとします。

このときすぐに、前項で書いたような自分への「メッセージ」に気付き、同時に、「お金で済むことでよかった、この時点で気付かせてくれてよかった」と思うと、そのトラブルそのものに感謝するようになります。感謝まではいかなくても、「よし、ここで自分を見直そう」というきっかけになります。

お金は所詮「モノ」で、病気や体に出るよりはずっと軽いことですから、この程度で気付かせてくれて本当によかった、と思うのです。

こう思うと、「こんなことが起こるなんて最悪だ」とは思わなくなります。

もし大事なことに気付かないまま、不満や憂鬱な気持ちでいっぱいのまま通り過ぎると、どうなるか……それと似たようなことが続けて起こります。数週間、数カ月、大きく見れば数年のスパンで必ず同じようなことが繰り返されます。

さらに、もっと多額の損になるようなトラブルになったり、心に重くのしかかる人間関係のトラブルに発展したりします。怪我や病気など、実際に体の動きを止めなくてはならない現象として出てくることもあります。

つまり、**はじめは小さなことでお知らせが来ている**のです。

トラブルや嫌なことが続けて起こるときは、

① 「今、気付かなければいけないことがある！」

② 「これくらいで済んで本当によかった、気付かせてくれてありがたい」

と思ってみてください。心は楽になるし、実際、本当に自分の中の見直す点がわかり、起こることにはすべて意味があることがわかります。

★物事に「良い、悪い」という感覚がなくなる

うれしいことは単純に素直に喜び、「一見嫌なことは自分にとってのお知らせ」と捉えるようになると、起こること自体に「良い、悪い」がなくなっていきます。

小さなことは「気にしない、過剰反応しない」でさっさと流し、大きなことは「ああ、これを知らせているんだな」と気付かせるために起こっているだけだからです。

それを「悪いこと、つらい、嫌だ、自分は悪くないのに」と捉えると、あなたの中に「嫌なこと」として永遠に残ります。それをたまに思い出したり考え続けていれば、一生その気持ちが消えないまま進むでしょう。

でも「このお陰で大事なことに気付けた」とわかってから「ハイ、次！」と淡々と進んでいれば、心のダメージはありません。

たとえば、すごく面白い人たちと話しているとき、心になんのわだかまりも心配なこともなければ大笑いできるでしょう。でも気になることがあったり憂鬱な気持ちでいるときは、あまり楽しく聞こえません。

当たり前に思えるかもしれませんが、結局、**自分が楽しさを感じるかどうかは、目の前で起きていることではなくて、そのときの自分の気持ちで決められているのです。**

出来事自体に「良い、悪い」という感覚がなくなると、未来になにが起こるか恐れることもなくなるし、なにが起きても「すべて大丈夫」という感覚になっていきます。とても自由な気持ちになると思います。

自分の中心は
いつも静か
起こることに一喜一憂しなくなる
同時に
なんでも楽しめるようになる

26 「とっておきの人」に会いに行く――自分も引っ張り上げられる

これまで書いてきたように、「嫌なことが続くときは自分になにかを知らせようとしている」とわかると、その出来事自体に「嫌だ、困る、どうしよう」ととらわれていつまでも抜け出せないということはなくなっていきます。ですが、嫌な出来事が続くときというのは流れが停滞しているので、一度ガラッと変えることもたしかに必要です。

会うたびに「素晴らしい人だなあ」と感じたり、すがすがしい気持ちにさせてくれる人はいませんか?

流れが停滞しているような気がしたら、積極的にそういう人に会いに行きます。

その人は、社会的にみんなに尊敬されている人、という意味ではありません。すごいことを成し遂げているかどうか、高名で実績があるかどうかなどには関係なく、たとえば話しているだけで、「品格のある人だなあ」としみじみ感じられるような人です。大切なことは、**あなたが**そう感じる人です。

私にも、そういう人が何人かいます。女性の場合は外見も素敵（自分好み）なので、容姿も含めて刺激を受けます。「圧倒的に、人間としての質が高いな」と感じて、「こういう人がいる」ということ自体に幸せな気持ちになります。

気持ちが下がっているときに質の高いものに接すると、自然とこちらが引っ張り上げられます。その人をきっかけに大切なことを思い出したりもします。ここしばらくの自分の反省であったり、「この人みたいになろう」「こういうふうに生きるべきだな」という目標になったり、逆に「今のままでいいんだな」という再確認になったりもします。「そうだそうだ、こういう心で暮らさなくちゃいけなかった」と思い出すと、その瞬間に停滞していた流れが変わります。

思い返してみてください。いつも自分の気持ちが下がっているときに必ず会うことになって元気をもらったり、物事の節目や変化のときに自然と会うことになったりする人は、あなたにとってその役目があることが多いでしょう。そういう人を普段から覚えておいて、流れを変えたいときには積極的に連絡をしてお力を借りるのです。

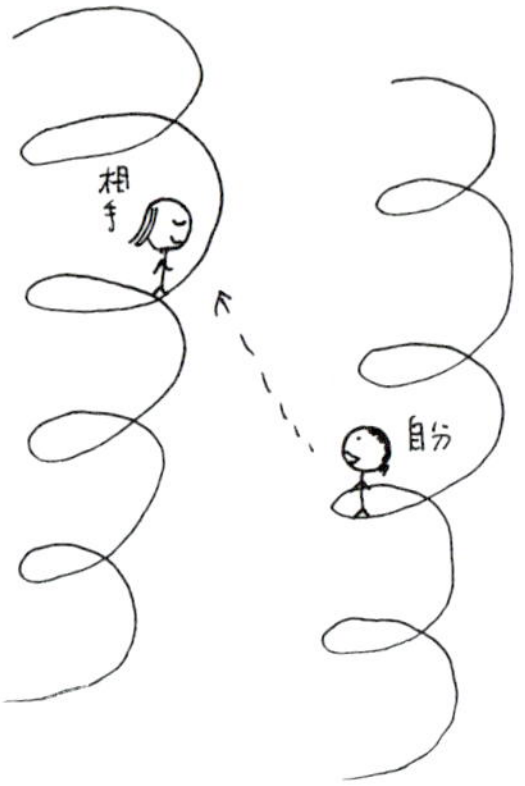

今までの自分の精神レベルより上の人と接しているから感じること

「質がいいなあ」としみじみ感じる

「質の良さ」とは、世間的な知名度、経済力、仕事、「セレブ」（とされている人）などにはまったく関係ない。

表面的な優雅さ、おしとやかさにも関係ない。 会って話して感じるもの。

27 徹底的に掃除する――浄化されると新しい動きが！

流れを変えたいときは、徹底的に部屋を掃除してみてください。たまっていた、淀んだ「気」を流すためです。

いつも以上に徹底して隅々まできれいにします。

机の上、引き出しの中、普段は手をつけない洋服ダンスの奥、小物がゴチャゴチャとつまっている棚……すべてを整理して、いらないものはいさぎよく捨てます。

イメージとしては、掃除と一緒に自分の中の停滞しているなにかを捨てていく感じです。**「ここをきれいにすると絶対に流れが変わる」と思いながら埃《ほこり》をぬぐっていきます。**

部屋を掃除するのは、「なくし物をしなくなる」とか「きれいな部屋は気持ちがいい」というような表面的な効果だけではありません。

起こることはすべてつながっているので、自分の中の淀んでいる一部分（部屋）を掃除することは、停滞している別の部分（なにかうまくいかない出来事）を掃除していることと同じなのです。

1箇所の血液の流れが悪くなると、体全体の病気に発展しますよね。そのつまりを流せば全体も良くなるのと同じように、淀んでいる1箇所を掃除すれば、他の部分でも変化が起こるのです。これまで停滞していたところ（部屋）に風が通るので、自分の抱えている問題、流れが止まっている出来事にも風が通ります。

流れをガラッと変えたいとき、なんだかうまくいかないとき、答えが出ないときなどには、まず、部屋を掃除します。

イメージは
自分の中の汚いところを
そうじしている
つもりで

28 本をたくさん読む――どこかに答えが見つかる

どうしようもなくへこんでいるとき、先の見通しがつかないようなとき、ガックリして立ち直れないようなときなど、私はとにかくたくさん本を読みます。

自己啓発の本でも、生きていることに意味を感じさせてくれるような本でも、きれいな画集でも、小説でも、童話でも……なんでもかまいません。

そのときの自分に必要な言葉やメッセージが飛び込んでくるからです。

私があることを思いつめて考えていたとき、廊下を歩いていたら、本棚から目の前にバサッと落ちてきた本がありました。

拾ってなんとなく開いたら、「少し離れて、別のことでもしたら？」という小説のセリフが目に飛び込んできました。「そうか、ちょっと考えを休めて別のことをしたほうがいいっていうことだな」と思いました。

これはただのセリフの一部ですが、すべてに偶然はないので、そのときの私にはその言葉が必要だったのでしょう。必要な情報が、「本」という媒体を通して伝わってくるのです。他のときであれば、そんな箇所は目にも留まらないでしょう。

特に、どうしていいかわからないときは答えを求めているわけですから、「まさに、この言葉を見るためにこの本を開いた」と身に染みて感じるほど、ぴったりのことを目にするはずです。

このとき目についたことを覚えていると、少しあとにまったく同じことを尊敬する人からアドバイスされた、ということがあったりします。つまり、その「ふと目についた文章」は、尊敬する人と同じことを伝えようとしていたのです。媒体が本であるか人であるかの違いで、伝えようとしていることは同じなのです。

有名な誰かの話からだけではなく、身のまわりのどうでもいいことにも、あなたに必要なメッセージは隠れています。

本屋さんで目についた本、勧められて未読のままの本、自分を救ってくれそうな題名の本……1冊で気持ちが切り替わらなければ、切り替わるまで何冊でも手当たり次第に読んでみてください。必ず、なにか〝答え〟が見つかるはずです。

29 気持ちが上向きになることをリストアップする

強運な人でも、いつも明るく見える人でも、その人なりに気持ちが下がるときは誰にでもあります。ドヨンとした気持ちになるのは、あなただけではありません。

でも強運な人は、気持ちが下がった状態を平常心に戻すのがとにかく早いのです。落ち込んでいる時間がほんの少ししかありません。

誰にでも「これをすると圧倒的に楽しくなる」ということがあると思います。それを普段から用意しておいて、気持ちが下がったときにはすぐにそれをしてみてください。気持ちが「スカッとした」「今だけは忘れられる」という状態になるまでやってください。そこまでしても、その気持ちを上向きにする必要があるのです。

あなたが好きなことであれば、なんでもかまいません。

- 犬と遊ぶ
- 散歩をする
- 深夜のドライブに出る
- 話すと良い気分になる人（友達でも知人でも家族でも）と気が済むまで話す（悩み相談ではなく、ただの世間話、会うだけでもいい）
- 馬鹿笑いできる友人に会って笑う
- 自然の中へ出かけて、ひとりで座る、寝転ぶ、目をつぶる
- 好きな音楽を聴く、雑誌、本を読む、楽器を弾く
- 美術館やコンサートなどに出かける
- 料理をする、お菓子をつくる
- 庭（土）いじりをする
- くたくたになるまで運動する
- お気に入りの場所で一日を過ごす

一般的なことを挙げましたが、もっとマニアックな自分なりの方法もあると思います。

運がよくなるコツを一生懸命ためすのも大切ですが、パワー・ダウンしたときにすぐに「ゼロ」に戻せる方法を知っているほうが、ずっと運はよくなります。

強運な人は、いつも平常心だからです。

いつまでも気持ちを下がったままにしておくと、他のことでも足を引っ張られてしまいます。

その気持ちを抱えたまま仕事で人と会えば、話し方にも素振りにもどことなくそれが現れて、良い印象を与えるはずがありません。いつもと同じにしているようでも、その下がっている波動はきちんと相手に伝わります。特に初対面の人に対してはマイナスです。

また、気持ちをリセットしないまま楽しい集まりに参加すれば、まわりの人の楽しそうな様子がうらやましく感じられるかもしれません。

人は、自分の気持ちが下がっているときに相手がうらやましく見えるものです。自分と他人を比べてみたり、普段のあなたなら感じないようなことで憂鬱になったりするかもしれません。

ひとつのことでできてしまったマイナスの気持ちは、別のことに持ち込まないようにする、そのとき、そのときで完璧にリセットして次の新しいことに臨むのです。そのために**「これをすると絶対に楽しくなる」ということを用意しておいて、まめに気持ちを平常心に戻しておく**ことが大切なのです。

30 いつもの自分と違うことをする

★早朝散歩で意識が切り替わる

流れを変えたいときは、いつもの自分と違うことをしてみるのも効果的です。

たとえば、早朝の散歩。あなたにとってちょうどいい気温の、ちょうどいい天気の日がベストです。大きな公園、緑の多いところ、自分が気持ちよく感じる通りを目的もなく歩いていると、ジョギングをしている人や、犬の散歩、コーヒーを片手に歩いている人などが思った以上にたくさんいます。

また、いつもより自然がたくさんあることにも気付きます。都会にも自然はたくさんあるのです。その匂いや色や光を味わっていると、どこかから音楽でも聞こえてきそうな気分になったり、映画のワンシーンを歩いているような気分になったり、突然モリモリとやる気が湧いてくるのを感じます。

朝の力はすごいもので、それだけで未来が開けてきそうな、空に手を伸ばしたくなるような気分になるのです。

その瞬間、意識が切り替わります。

★太陽の光を全身に感じてみる

朝早く起きたときに、ベランダから（庭から、窓から、屋上から）ふんだんに太陽の光を感じてみます。目をつぶって、全身の隅々まで太陽の光が入り込んでくるところをイメージします。**「エネルギー満タン！」「気が充実」と思って、一日を始めます。**太陽の光を感じて、ありがたいことだなあ、すごいパワーだなあ、とちょっと思ってみるだけでなにかが変わります。

★心が疲れたら、思いっきり体を動かす

体と心は連動しています。体調が悪いときは、すべてが面倒くさく感じられてやる気がなくなりますよね。

つい数日前も、なんだか体がだるく気持ちもさっぱりとしなくて、モヤモヤしながらダラけている日が続きました。そこで思いきって、仕事の途中にスパのプールで泳いだら体がものすごくリラックスしたのです。疲れたはずなのにむしろ元気になっている、さらに気持ちまで元気になっているのです。

心が疲れているときは、逆に体のほうを動かすのもひとつの方法なのです。

定期的に運動に誘ってくれる仲間をつくるのも効果的です。できれば、自分よりも活発で、こちらのやる気に関係なく強引に運動の予定を入れてくれる人がベストです。そのスポーツに合わせたウェアをそろえてみたり、そこで仲間が広がったり、プラスアルファの楽しいこともやってくるかもしれません。

★トイレ掃除をする

トイレ掃除をする効果には、「人の嫌なことを率先してやるくらいの人であるからこそ成功できる」とか、「トイレは宇宙とつながっているから、そこの汚れを取ることは流れをスムーズにして金運を上げる」とか、いろいろな解釈や説明があると思います。

どれが本当なのかわかりませんが（どれも本当でしょう）、ためしに一日やってみてください。ピカピカの便器を目の前にすると、驚くほど気持ちがスッキリするはずです。多分、その続きで他のところも掃除したくなるでしょう。

私は、仕事をする気が失せていたり、なにか気持ちをスッキリさせたいときには、仕事部屋のトイレを掃除します（毎日ではありません、たま〜にです）。するとそれだけのことで「きちんと生活している」ような気持ちになるのです。不思議なことに、そのまま机に戻ると、机の汚いところ（普段は気にならないのに）がやけに気になって掃除を始めます。その続きで、たまっているメールや雑用をサクサクとこなします。

全部終わって時計を見てみると1時間も経っていないことがあります。
とても充実したように感じて、そのあとの仕事や約束にもワクワクした気持ちで出かけることができるのです。

トイレ掃除の威力はすごいものです。
いろいろなところで言われているだけのことはあるのです。

トイレをピカピカにすると
なぜか活動的になる
サッ 次は
あれをしよう

★大自然の中に身を置く

大自然の中に身を置いて、ゆっくりと自然を感じてみてください。

日本人には、自然を敬う神道《しんとう》の教えが染み込んでいます。

空や大地、そこに直に根を張っている植物、通り抜ける風を心を落ち着けて感じてみると、世界が人間だけで成り立っているのではないことを感じて、自然と畏敬《いけい》の念が湧き起こってきます。まわりすべてが大自然という環境をつくることができなくても、静かに座ることのできる屋外で、自然を感じようとするだけでもパワーをもらうことができます。

いるだけで、「素晴らしいなあ」という気分にさせてもらえるのは、自然にそれだけエネルギーがあるという証拠だと思います。

人としての大切なことを思い出したりするなど、すっかり浄化されたような気分になるはずです。

あなたが「浄化された」と感じられるときが、本当に浄化されているときなのです。

第5章

あなたの夢は必ずかなう

夢を実現させたいときのコツ

夢、ある？
そりゃあ あるよ

31 心がワクワクする夢か、いつも確認する

★心が動いたことしか実現しない

夢を実現させようとするときに、なによりも大切なのは、「その夢を考えるとワクワクする」というアツイ気持ちがあるかどうかです。

あなたに今「夢」があるならば、その「夢」を考えてみてください。

考えただけで、

- そわそわして、いてもたってもいられなくなる
- ニヤニヤ、ワクワクしてくる
- 自分のまわりの世界、すべてのモノが急に明るく見える
- 人生が素晴らしく思える
- 力強くて希望にあふれているような気持ちになる

● 元気に手を振って歩きたくなる
というような感情が湧き起こってきますか？

もちろん、これらの気持ちを静かに感じてもいいのです。大きく態度に表さなくても、心の中で穏やかにワクワクした気持ちを感じるのであれば同じです。「夢」ができるときというのは、その一番はじめに「感動した、心が震えた、血が騒いだ、ハッと思った」というような「心に響いた瞬間」があるはずです。子供がスポーツ選手の活躍を見て、「僕も○○の選手になりたい！」と思うのも、「あの人みたいになりたい！」と感動するからですよね。

自分の好きなことに没頭しているうちに、ふと「こうなったら素晴らしいなあ、最高だなあ、幸せだろうなあ」と思ってそれが「夢」になることもありますが、これも一番はじめに、グワッと盛り上がる気持ちがあったからこそ、です。

その気持ちがなければ、夢へのモチベーションを維持することはできないし、それに向けての努力も続きません。人は、「楽しい、ワクワクする」ということしか続かないからです。

いつ思い出しても、心が震えるような感動や楽しさが湧き起こってくるのが「夢」です。考えたときに自然とこの気持ちが湧き起こることであれば、夢はだんだんと現実に引き寄せられてきます。

考えてワクワクすることは
別のことをしているときでも
すぐにワクワクできる
意識しなくても
考えられる
ずーっと
イメージしている
ことになる

★自分の夢をまわりと比べることはない

逆に言うと、**本当に心が動いたことでなければ実現するのに時間がかかります。**

よく「これが自分の夢なんだ」と思い込んでいるだけで、実はそれは世間の常識やまわりの人の価値観で押しつけられたものだった、ということがあります。

他人の決めた夢だと、自分が感動してスタートしたことではないので、イメージするときに「感情」が入りません。感情の入っていないイメージは弱いので、どんなに考え続けても夢を引き寄せるのが遅くなるのです。

心の奥を探ってみたときに、次のような思いがある夢は実現しにくくなります。

その夢を実現するのは、

- 格好いいことだとされているから
- あの人もそうしているから
- この世界ではそうするのが常識だから
- 幸せの条件とされているから
- あの人に比べると、自分にはこれが足りないからこういう思いの夢を実現したとしても、「やったあ！　うれしい！」という実感はあまりないと思います。まわりの人に「すごい、立派、うらやましい」とどんなに言われてみても、あなた自身がそう思っていなければ、一瞬はうれしくなっても、気持ちが長く続かないでしょう。むしろ、言われれば言われるだけ空しくなるかもしれません。「まわりの人はこんなに言ってくれているのに、どうして自分はそう思えないのだろう、この空虚感はなんだろう」と思い始めるからです。そして、「また次のなにか」を探し始めるのです。

結局、自分がそこに幸せを感じるかどうかで「幸せ」が決まるので、他人からどう思われるかなんて関係ないのです。

- 他人からの評価がゼロでもそれをしたいと思うか
- それをすること自体が楽しいか
- 夢に向かっている途中もワクワクできるか
- それを実現したら、今よりもっと豊かな気持ちになれるかを考えてみると、今の夢が本当の夢（＝実現する夢）かどうかがわかります。

考えるだけでワクワクしてしまうことは、「これが幸せの条件だから」とか「みんなにすごいと思われるから」なんて考えもしないはずです。**「好き」と思うことに理由はないから**です。

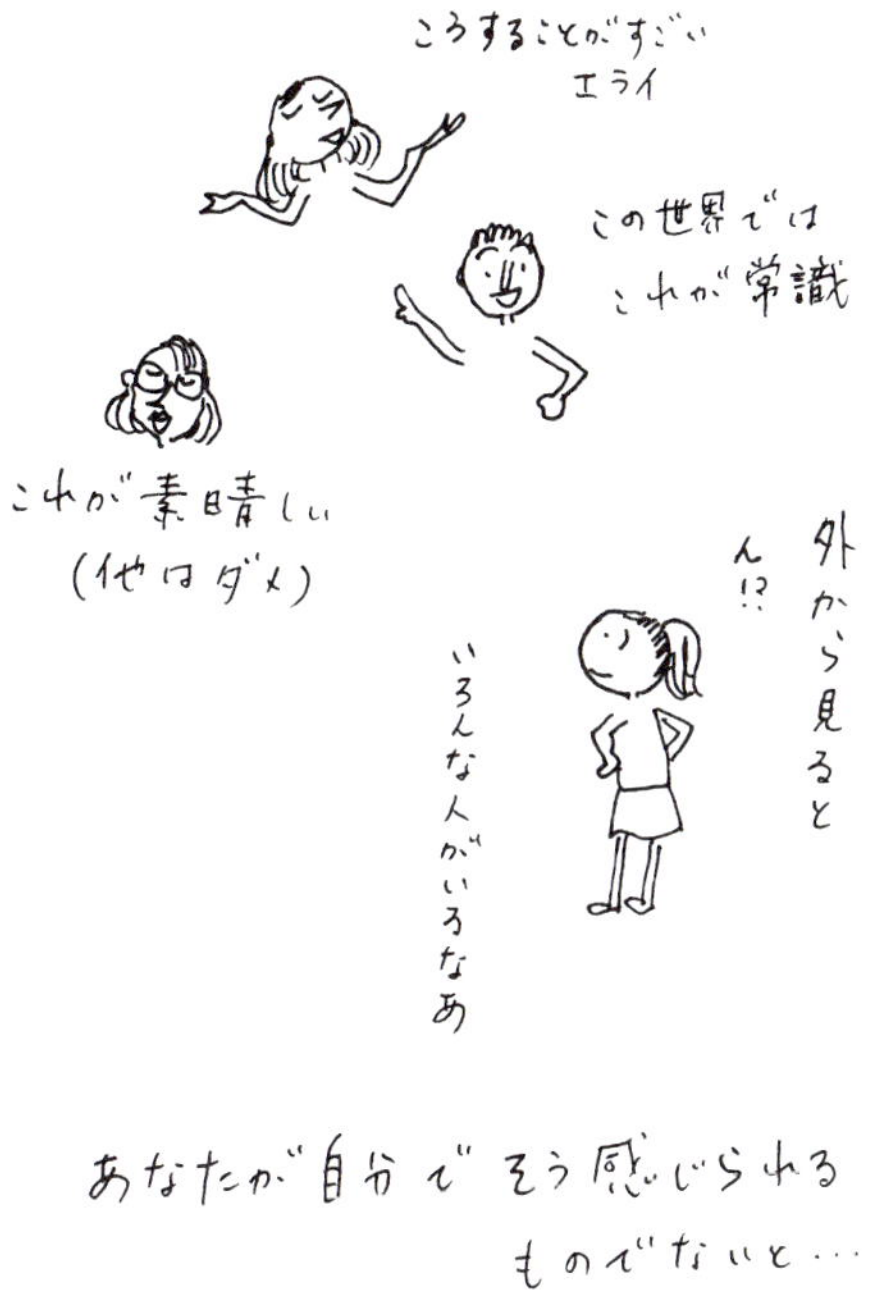
こうすることがすごい
エライ
この世界では
これが常識
これが素晴しい
(他はダメ)
外から見ると
ん!?
いろんな人がいるなあ
あなたが自分でそう感じられる
ものでないと…

32 夢が実現したところを楽しくイメージする

★"イメージする力"は誰にでもある

あなたが毎日意識していることは必ず引き寄せられてくるので、夢を実現するときにイメージングをするのはたしかに効果的です。

ですが、そもそも**はじめから「心が動いた」ことを夢に設定していれば、ほうっておいても強く考えてしまうもの**なのです。考えが止まらなくなり、いろいろな妄想が次々と出てくるので、結果的にイメージし続けることになります。

ですから、「一生懸命イメージしましょう！」ではなく、「また考えてニヤニヤしてしまった」という感じです。「イメージが続かない」というのは、本当に望んでいる夢ではないのかもしれません。

実現しやすいイメージングというものがあるならば、とにかく、あなたがワクワクと楽しくなるように考えることです。そこさえ押さえてあれば、他に決まりはありません。「絶対にこうなるぞ!!」とガッツポーズをするほうがワクワクしてくる人もいれば、実現したところを、ただポワンと考えるほうが楽しくなる人もいます。

実現した瞬間の状況を考えるとワクワクしてくる人もいれば、それがかなったあとの生活を思い浮かべるほうが楽しい人もいます。

また、イメージしたシーンが、すぐそこに見えるように感じなくても大丈夫です。視覚的にそこで動いているように感じられないと「私はイメージ力がない、弱い」と思う人がいるようですが、そんなことはありません。

どのような状態を「イメージできた」と感じるかは人それぞれなので、**あなたの感覚で「イメージした」と思えばそれでいい**のです。

とにかく基本は、あなたが「こういうふうに考えると楽しい」という、**あなたにとっての居心地のいいやり方**で思い描くことです。

★実現したときの「気持ち」をイメージする

イメージングをするときに一番効果的なのは、それが**実現したときの（実現したあとの）自分の「感情」をイメージすること**です。

- うれしい、楽しい
- ニコニコしている
- まわりの人とみんな一緒に喜んでいる
- これまでに味わったことのない至福感がある
- 感動して涙が出てくる

というような気持ちを、イメージの中で「深く味わう」ことです。

たまに、そのシーンに感動して本当に涙が出てきたり、興奮して鳥肌が立ったりすることがあります。ここまで強い感情移入はなくても、とにかく「その気持ちになる」ことがなによりも大事です。

33 苦しくなるようなイメージをしない

★「〜にはなりたくない」という否定形より肯定形が効果的！

「××にはなりたくない」という思い方はやめることです。

イメージして意識していることが現実になるのですから、「××にはなりたくない」という思い方は、「××を実現させてしまう思い方」なのです。

たとえば「貧乏にだけはなりたくない」と思っているとします。

でもそれは、「貧乏」をイメージして引き寄せているのと同じです。貧乏になるとどうなるかを詳しく考えて、それは嫌だと思うから「貧乏にはなりたくない」と思うわけですよね。ですから、避けたいことがあるときには、「××にはなりたくない」ではなく、その反対側にあるプラスのイメージ、つまり豊かに楽しく過ごしている世界のほうを想像すればいいことになります。

● 病気になりたくない、ではなく、健康な自分
● 悲惨な結婚だけは避けたい、ではなく、楽しく豊かな結婚生活
● 仕事で失敗したくない、ではなく、成功している姿
● 成績を落とさないように、ではなく、どんどん伸びている姿

に意識を集中させて考えることです。

マイナスの言葉を使ったイメージはしない、ということです。

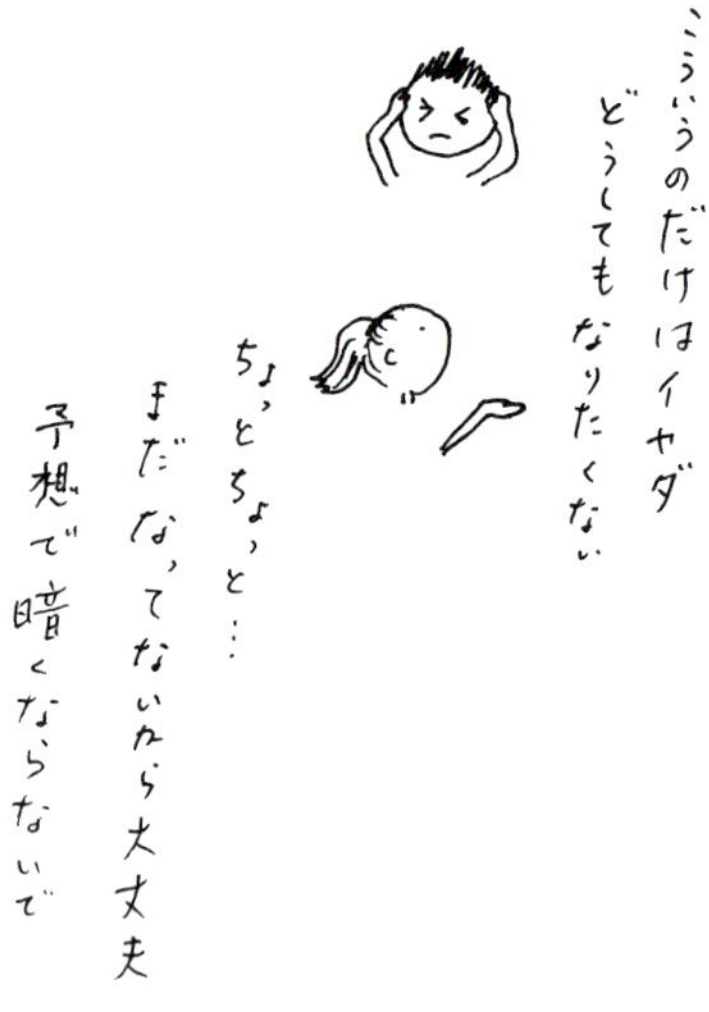
こういうのだけはイヤダ
どうしてもなりたくない
ちょっとちょっと…
まだなってないなら大丈夫
予想で暗くならないで

★実現していない「今」を思い出すのはやめる

実現していない「今」のことは考える必要はありません。

「今が不幸、だからこうなりたい」という順番でイメージしていると、どうしても「今」に足りないものや、「今」に不満な自分の気持ちに考えがいってしまうので、結局「最悪な現在」をイメージしているのと同じことになるからです。その「最悪な現在」を何度も意識すれば、それと同じ状況を引き寄せているだけになります。

一生懸命イメージしているのになにも変化がない人は、イメージしていながら、実はまだかなっていない「今」のことを思い出して憂鬱になっていませんか?

「今」を否定していれば、その先に夢の実現はありません。「朝起きたら、突然夢の状況になっていた」ということは稀で、たいていは今の生活の延長線上にだんだんと引き寄せられてくるものだからです。

今の環境でうれしいと思うこと、満足していること、幸せを感じていることを思いつく限り書き出してみてください。

その「今」の幸せをたっぷりと感じて、「今も充分に幸せ、でもこうなったらもっとうれしい」というようにイメージするのです。

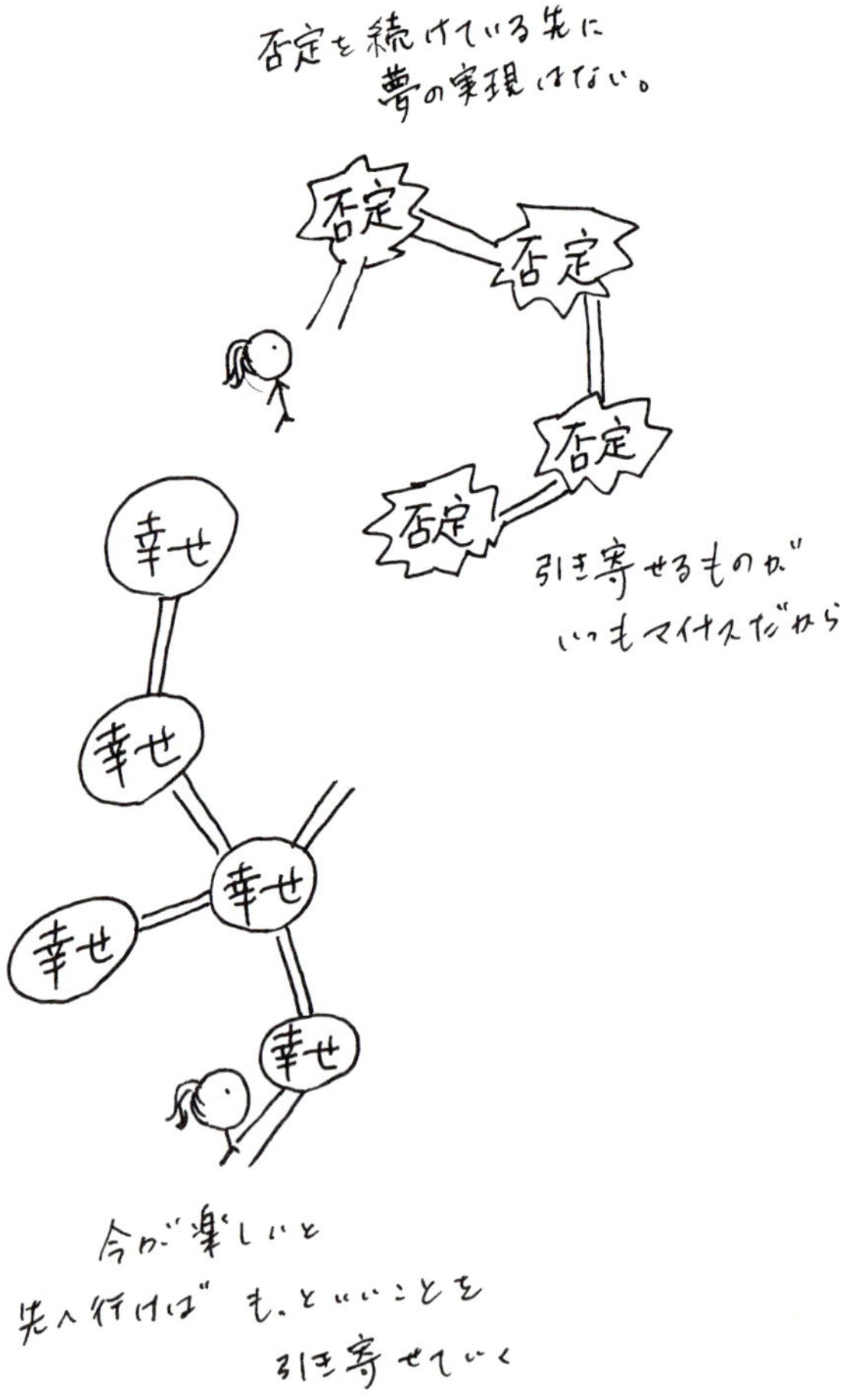
否定を続けている先に
夢の実現はない。
否定
否定
否定
否定
引き寄せるものが
いつもマイナスだから
幸せ
幸せ
幸せ
幸せ
幸せ
今が楽しいと
先へ行けば もっといいことを
引き寄せていく

★「実現しなければ幸せになれない」という思い方はやめる

「その夢が実現しなくては幸せにはなれない」というイメージはやめることです。**その「夢」は、あなたの幸せに必要な絶対条件ではありません。**絶対条件のように考え始めると、「実現しなかったらどうしよう」と思い始めると、つらくなりませんか？　**つらくなるということは、間違ったイメージの仕方をしている証拠**です。

純粋に「夢」を思ってワクワクしているときは、どんなに大きな夢でも、そこに「欲」がありません。**ただ、考えていること自体が楽しい**のです。ワクワクした、心が動いた、という気持ちが夢のスタートだったことを思い出してください。幼稚園児が「あれが欲しい」「あれになりたい」と、無邪気に思っているのと同じ波動です。幼稚園児は、「それがなくては幸せにはなれない」とは思っていません。

「これが実現しなくては幸せになれない」という苦しいイメージをしないためには、**その「夢」が実現したらどんなにうれしいか、どんなに素晴らしい気持ちに**

なるか、自分もまわりもみんながどれだけ楽しくなるか、という側面だけを純粋に思っていればいいのです。一番はじめに「心が震えた」ときの感覚をたまに思い返せばいいのです。

たとえば
サラダを食べているときに
下味がついているものでも
ドレッシングがあると
なお おいしい
でも!
「ドレッシングがないとおいしくない」
と考え出したとたんに、
心はドレッシングのことで
いっぱいになり、サラダ本来の
おいしさがわからなくなる。
欠けていることが不満になる
不幸
はじめから
なかったほうが
「ない!ない!」
と思わずにすんで
よかったかも
しれない

34

夢をすでに実現している人たちの世界に身を置く

自分の決めた「限界」を突破しよう

大きな夢であるほど、「本当に実現するだろうか」と、つい思ってしまうのは仕方のないことです。誰でも今までの環境や、今まわりにいる人たちに日々影響を受けるので、そこを毎日見つめていれば、それが自分のスタンダードになるのが当然です。

でも、あなたの「夢」を、すでに普通にやっている人も世の中にはたくさんいます。日本中であなただけがやろうと思っているような「夢」は稀です。

まず、あなたの夢に近いことをすでに実現している人、こうありたいなあという生活スタイル、姿、雰囲気を持っている人たちの世界に、自分を置いてみてください。あなたが望んでいる状況を普通にしている人たちの中にいると、それが難しいことでもなんでもないように思えてきます。その人たちにとっては「当たり前」のことなので、そのうちあなたも当たり前の感覚になります。

類は友を呼ぶので、そういう人たちのまわりには似たような世界の人が集まっています。そういう人たちと話し、つき合い、行動をともにしていると、自分の世界がどんどん広がって、限界が取っ払われることを感じるはずです。

この「広がってきた！」と感じてワクワクすることが大事なのです。

「無理かもしれない」という心のストッパーがなくなると、あなたの夢を実現してくれる外からの情報に柔軟になります。受け入れ態勢ができたことになるのです。

実は、その状況を望んでいながら、一番の障害になっているのは自分の心だという場合があります。**「自分にはできない、難しい、無理」という気持ちがいつまでもあるから、せっかくチャンスがやってきても受け入れる態勢になっていないのです。**

★実現した「つもり」で暮らすと実現する

あなたの夢が、すでに実現したつもりになって一日を過ごしてみてください。「望んでいたことがついにかなった、もう自分にはそれがかなっている」と思っていると、出かけても、人と話しても明るい気持ちになると思います。「そのつもり」になっただけなのに、目の前の小さなことが輝いて見えたり、日々の小さなことにも丁寧に接することができたり、充実した一日のように感じませんか？

しかも、「そのつもり」になりきると、自然と「すでに実現している人の考え方や生活スタイルを素直に真似してみよう」という気持ちにもなります。今すぐにできる、夢への具体的な方法も浮かびやすくなるのです。

そして、それをひとつずつこなしていくうちに、本当に夢に近づいていくような気持ちになって楽しくなるはずです。

何度も言いますが、夢を実現するときには、この「なんだか楽しくなってくる」が大切なのです。**すでに実現したつもりで暮らし始めると、楽しい**のです。

夢を実現するためのどんなに素晴らしい方法でも、それをしているときにあなたが楽しく感じなければ意味がありません。気持ちがついてきていないのに無理に「成功のコツ」と言われているような言動を始めても、結局長くは続かないでしょう。**楽しくないことは続かないから**です。

「夢を実現するために、毎日これをしなければならない」と苦しく頑張っていたら、途中の経過を楽しむ余裕もありません。**本当に夢が実現できるとき、その人は途中の経過も含めて楽しんでいる**のです。自分の心を、夢に向かってどれだけ長いことワクワクさせておくことができるかが、早く実現できるポイントです。

もう かなった自分になると
すっかり楽しくなる

35 シンクロニシティ（偶然の一致）を利用する

★シンクロニシティが起きたら「面白い！」と感じてみる

あなたが夢のことを楽しく考え続けていると、その意識の力が、それに関係のあることを引き寄せてきます。

考えていること（＝夢）と同じ、または似ている話が、テレビ、雑誌、本、ネットなどの情報媒体や人からの話を通して、自分のところに集まってきます。

- 考えていた人から電話があった、外でバッタリ出会った
- 欲しかった物、必要な物などを偶然人からもらった
- 知りたいことの情報、似たようなことを考えている人が勝手に集まってきた
- 迷っていることの答えになるような言葉を、パッと開いた本の中に見つけた人から言われた

- 考えていたこととまったく同じことを、相手から言われた
- 自分と同じようなことが、まわりの人にも起こった

これは、心理学では「シンクロニシティ」（偶然の一致）と言われる現象で、誰にでも起こることであり、決して特別なことではありません。

偶然なように思えますが、実はそれを引き寄せているあなたがいて、まわりの現象があなたに必要な答えや情報を与えている、ということです。つまり、「意味のある偶然」ということです。

あなたが「あそこに行きたいなあ」と強く思っていれば、「あそこ」に関係のある情報が集まってきます。「これについてはどんなふうに考えればいいんだろう」と悩んでいるときは、それの答えになるようなことを知らせてくれます。

前にも書きましたが、私があることについて何日も考え込んでいたときに、廊下の本棚からパサリと1冊の本が落ちてきました。それを開いてみると、登場人物のセリフで「少し考えるのをやめて、別のことしたら？」という1行が目に飛び込んできたので、「ああ、今は考えるのをお休みして他のことをしていればい

いんだな」とわかりました。私が、求めていることが、外側にシンクロしているのです。

新しい仕事のアイディアについて考えているときに、その内容とぴったりのことを、私が言う前に相手から言ってくることもあります。お互いにとって「ちょうどよかったね～」ということになるので、話が早く進みます。

シンクロニシティが起こったときには、まずそれを素直に感じてください。偶然だと思わず、「ほんとだ、面白い！」と感じてみることです。まわりには、あなたを助けようとするメッセージがたくさん隠れていることを感じてください。

たとえば、あなたの夢と似たようなことをしている人が現れたらその夢が近づいてきている証拠なので、「へえ、ほんとに引き寄せてくるんだなあ。面白いなあ。いいぞ！　これからどうなるんだろう。もっと近いことがやってくるかもしれない」というように意識してみてください。すると、ますますシンクロニシティが起こるようになります。

夢を考えていなかったときは、そういう人すらまわりにいなかったはずですから、あなたがその夢を考え始めたことで、確実に未来が変わってきているのです。

中心に磁石になる自分。
考えていることに必要なことが
磁力で吸いよせられる

★チャンスを逃さずに、すぐ動く

シンクロニシティを感じるようになると、「偶然」という殻《から》をかぶって、夢の実現につながる方法や、考え方や、人がだんだんと近づいてきます。

そのときに、あなたの気が動いたら、すぐに行動に移してみてください。せっかく引き寄せ始めたのですから、「これだ！」と思ったときがタイミングです。「また今度にしよう」とか「もう少し時間ができたら」とやっていると、タイミングを逃します。**夢は、自分が行動に移してはじめて実現します。**そのはじめの一歩を意識の力で引き寄せたのですから、それを逃してはもったいないですよね。

似たような話が集まってきたときに自分もそれを始めてみる、その話にノッてみる、その人の話を聞いてみる、自分も真似をしてみるなど……方法はたくさんあるはずです。でも、ここで大切なことは、あくまで**あなたの気が動いたことだけでいい**ということです。シンクロニシティは、「あなたの意識と同じものを引き寄せてきている」というだけなので、それにすべてノッてみたほうがいい、ということではありません。

あらゆる種類のものを引き寄せてくるので、中には「おためし」と言えるようなことがやってくる場合もあります。それをやってみたほうがいいのか、やめたほうがいいかを見極める方法は、あくまで**自分の本音が「それいい！」という気持ちになったことだけに動く**ことです。このときに、なんでもかんでもすべてノッていると、時間も足りないし、ただの空振りに終わることもあります。

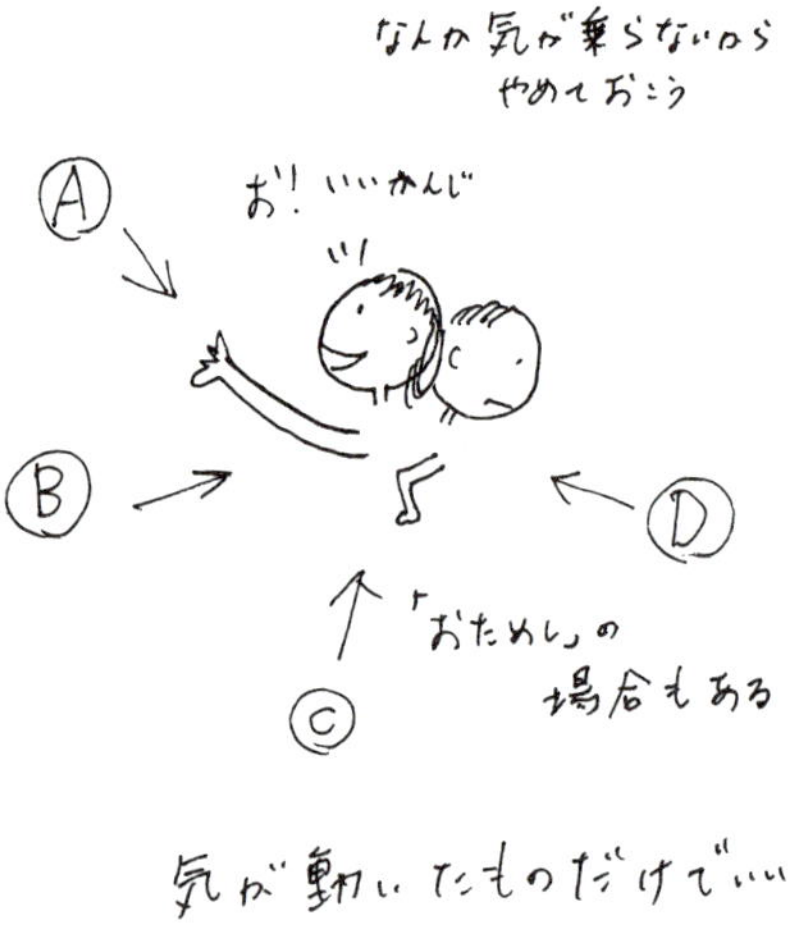
なんか気が乗らないから
やめておこう
A
お！いいかんじ
B
D
「おためし」の
場合もある
C
気が動いたものだけでいい

36 イメージしたあとは自然の流れにまかせる

★夢がかなうまでの道のりは「おまかせ」する

夢がどんな経緯で実現していくのか、途中の経過を心配することはありません。

たいていの人は、そこを考え始めると「本当にうまくいくのだろうか」と心配し始めるからです。

夢は、今のあなたが思ってもいないような方法で実現していくことがほとんどです。今の時点で方法がわかっているのであれば、それをすればいいのですから簡単です。

今の段階で途中経過を決めつけてしまうと、他の方法がやってきたときに気付くことができなくなります。

人は、自分が見ようと思っていることしか見えないし、気付きません。

先日、自宅の洗面所でボディクリームの容器を探していました。いつもの棚に見当たらず、さんざん探してから母に聞いてみると、母は私のところにやってきて、「え？　ここにあるじゃない」と、さっきまで私が探していた棚からクリームの容器を取り出しました。それは、私が想像していたボトルよりもう少し細身で、色も思っていた色とは違うものでした。

そのすぐそばをずっと探していたので絶対に目に入っていたはずなのに、「こういうボトル」と私が思い込んでいると、そこにあっても気付かないのです。

夢の実現にはいろんな方法があるのですから、そこにわざわざ限定をつくらないことです。自然の流れにまかせていると、あとで実現したときに振り返ってみて、「こんな方法だとは思いもしなかった」という方法がやってきます。

ですから、実現までの道のりは「おまかせ、どんなことが起こるか、あとのお楽しみ」です。

★すべてはベストなタイミングで実現する、と知る

どんなことでも「それにふさわしいタイミング」というものがあります。

夢の実現も同じです。

あなたがもっと早く夢をかなえたいと思っても、長い目で眺めたらもう少しあとのほうがいいかもしれません。

自分は「すぐ、そこ」だけを見ているから「今がいい」と感じているだけで、もっと良いタイミングのときがあるかもしれないし、その時期を調整するために、今はまだ動いていかないだけかもしれません。

今は「時期」ではないのに無理をして進めたために、小さな結果になってしまうかもしれません。

あとから振り返って、「あのときはすぐがいいと思い込んでいたけれど、振り返ってみるとあのときにそうならなくて良かった」というようなことはあります

よね。ですから、**基本的に安心していて大丈夫！**なのです。

時期はずれても、あなたが楽しく思い続けて心配しないでいる限り、現象としては必ずそうなります。

夢が実現しなかったのは、途中でイメージするのをやめてしまったからです。「もう待てない」と早くに結論を出してしまったからなのです。

考えてみると、その夢のことを考えもしなかった頃に比べれば、まわりにいる人たち、起きている出来事など、**確実に小さな変化が起きているはず**です。それが続いていけば必ず実現するのに、せっかくそこまで来ているのに、イメージをやめるのが早すぎる人はかなりいます。

本当は、考えてワクワクする夢というのは、「実現しなさそうだからあきらめる」という種類のものではありません。それを考えていること自体が楽しいからです。考えるのをやめてしまうほうが、つまらなくなるはずなのです。

「夢のことを考える」こと自体が
楽しければ、途中で考えるのをやめる、
というのは本当はないけど…

あとがき

ここに書いた方法は、あくまで「私の場合は……」というものです。
改めて文章にするまでもなく、「これは私もやっている」というようなものもたくさんあったと思います。

「運がよくなる」というのは、別の言い方をすると、「どんな状況でも幸せを感じられるようになる」ということだと思います。

起こることすべてに偶然はなく、一見「運が悪い」とされていることにも自分にとってのメッセージが隠されていることがわかると、外側の世界と自分が一体となっていることを感じると思います。つながっているのです。

すべてのことは、「自分にとって良い流れになるように、いろいろな経験をして楽しく人生を過ごすことができるようになるためにつくられている」のです。

まわり道に感じることがあっても、実はそれはまわり道ではなくて、すべて自分にとって必要なことなのです。

それがあったからこそ、次がもっと面白く感じる……こう思うと、起こる出来事を「運が良い、悪い」という感覚では判断しなくなります。

どんな状況でも楽しむことができるし、幸せを感じることができるようになります。


誰にでも、幸せになれる流れが用意されています。小さなことに感謝をして、目の前のことを本気で楽しんでいれば、あとは安心してやってくるものを受け入れればいいのです。


自分の望んでいるような変化ではないように感じても、実はそれが、あなたの夢へつながる始まりかもしれません。

本書をつくるにあたり、何度も何度も本当に細かいところまで修正と検討を繰り返してくださった三笠書房の方々、本当にありがとうございました。

打ち合わせのときのいろいろなお話が、いつもとても楽しかったです。

目に見えるもの、見えないもの、すべてのことに感謝。

浅見帆帆子

あなたの運《うん》はもっとよくなる！

著　者――浅見帆帆子（あさみ・ほほこ）

発行者――押鐘太陽

発行所――株式会社三笠書房

〒102-0072 東京都千代田区飯田橋3-3-1
電話：(03)5226-5734（営業部）
　　：(03)5226-5731（編集部）
http://www.mikasashobo.co.jp

印　刷――誠宏印刷

製　本――若林製本工場

編集責任者　本田裕子
ISBN978-4-8379-2284-1 C0095